儂《わし》は舞い降りた

—アフガン従軍記【上】—

宮嶋茂樹

祥伝社黄金文庫

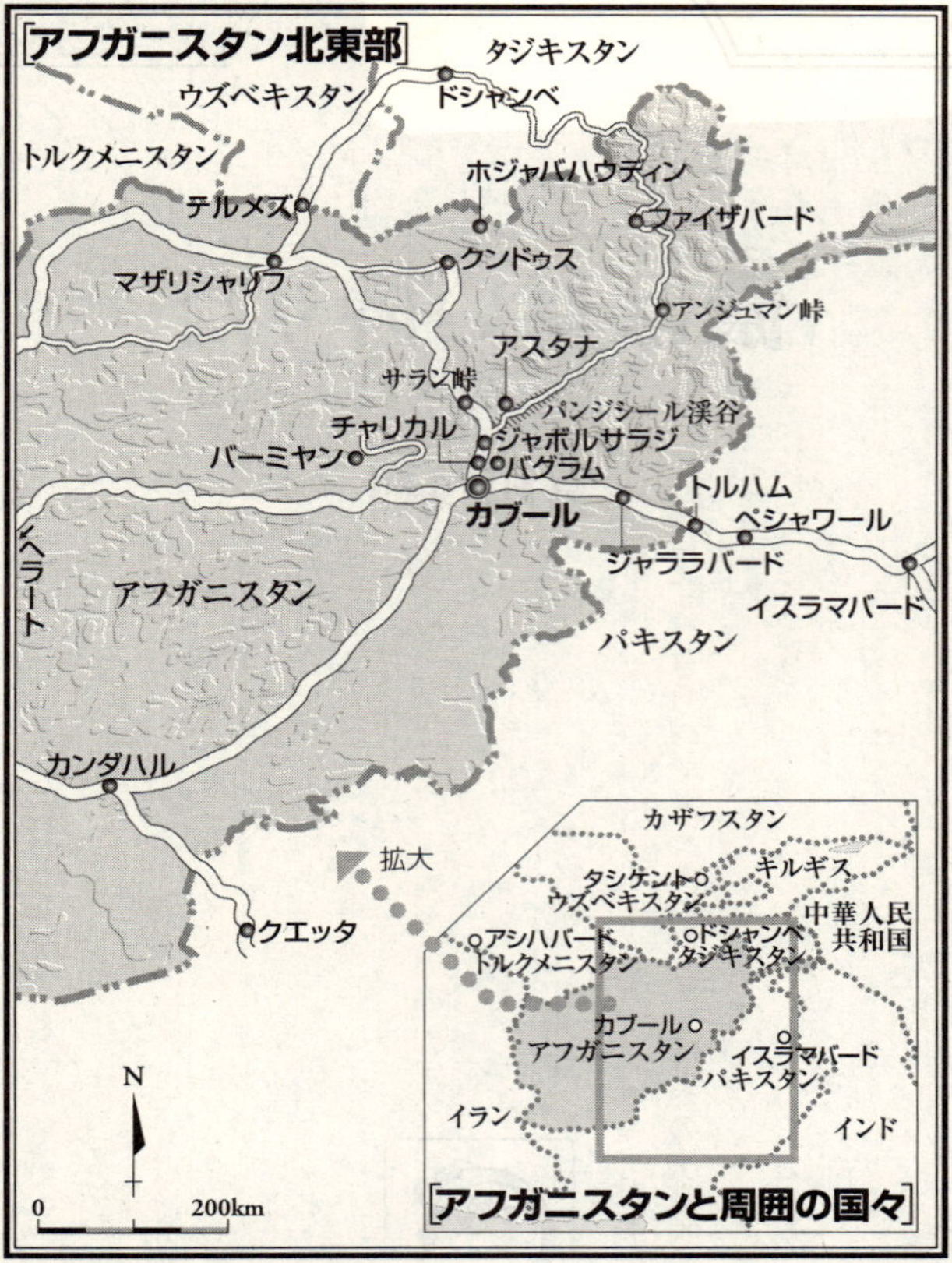
アフガニスタン北東部
タジキスタン
ウズベキスタン
ドシャンベ
トルクメニスタン
ホジャバハウディン
テルメズ
ファイザバード
クンドゥス
マザリシャリフ
アンジュマン峠
アスタナ
サラン峠
パンジシール渓谷
チャリカル
ジャボルサラジ
バーミヤン
バグラム
トルハム
カブール
ペシャワール
ヘラート
ジャララバード
イスラマバード
アフガニスタン
パキスタン
カンダハル
拡大
クエッタ
N
0
200km
カザフスタン
タシケント
キルギス
ウズベキスタン
中華人民共和国
アシハバード
ドシャンベ
トルクメニスタン
タジキスタン
カブール
アフガニスタン
イスラマバード
パキスタン
イラン
インド
アフガニスタンと周囲の国々

まえがき

まだケリのついていないアフガン情勢や頻発するテロ事件について研究しようと、この本を手にしたあなた、それは早トチリです。この本で得られる知識はハッキリ言ってロクでもないもんばっかです。弾丸《タマ》の下は潜《くぐ》ったものの、味わった苦労の大部分は原始的な生活に関するもんでした。早い話が「食う、寝る、出す」。野グソは気持ちエエとか、禁酒の国で酒を探すとか……。

日本で暮らしているかぎり、この本で得られる知識は何の役にも立ちません。

今更アフガン本なんて、と眉《まゆ》を顰《ひそ》めたあなた！　あなたは正しい。私もそう思うのだから。本来ならカブール陥落直後にお届けすべきものであった。しかし、その決定的な場面を私は見ておらん。撮ってもおらん。ゼニの切れた私は、その時、帰国の途《と》に着いていたのである――。

故《ゆえ》に、この本は雨後のタケノコのごとく出版されたアフガン本の中で、最もエエ加減で下品な部類に入るであろう。まぁ、アフガン本の最後っ屁みたいなもんである。御本家で映画にもなった『鷲は舞い降りた』とは似ても似つかぬトンデモ本である。ジャック・ヒギンズ先生も、さぞやお嘆《なげ》きであろう（早川書房の皆さんも赦してネ♥）。

しかし、儂《わし》も舞い降りたのである。たった一人で「ノーブル・イーグル作戦」を取材するために。御本家の主人公シュタイナ中佐には一五名のコマンドがおったが、ワシは一人だったのである！　シュタイナ中佐が舞い降りたのは文明国だったが、ワシが舞い降りたのは原始的な砂漠の国だったのである！

不肖・宮嶋、これまで十数冊の本を出したが、今回はなんと上下二巻本である。まるで『レディ・ジョーカー』（毎日新聞社）を脱稿した高村薫先生もかくや、という心境である。チョイとでも印税を稼ごうとしている？　そのような邪推をする輩《やから》はアフガンの砂に還るであろう。

資源の無駄遣いだと言うあなた、あなたは正しい。それだけの紙があったら、カブールのマリアン高校の女子高生三〇〇〇人に数冊の教科書とノートを配れるのである（下巻第11章を参照）。

私は再びあの地に関わりたくはない。訪れるつもりも今のところない。日本政府が落とす六億ドルの血税も、田中真紀子氏が難民のガキの頭を撫でながら落とした涙も、アフガンから争いを無くすことはできないであろう。米軍の空爆のお陰でタリバンとの戦いに勝った北部同盟ですら内紛が後を絶たない。あのビンラディンの行方も知れない。カルザイ議長も暗殺されかかった。この二〇年間、「正義」は銃口からしか生まれていない国ではないか――。

迷惑かもしれんが、この書を、あの砂の中で突然殺された少なくとも五人（私の知る限り）の同業者に捧げる。

宮嶋茂樹

平成十四年秋

儂は舞い降りた　目次

第2章　裏喰《うらく》い虫の悲劇……45
――飛んでイカン、カブール

第3章　儂は舞い降りた………97
——アフガン入り第一声は宇宙から

第5章　サルに麻薬、サルに武器……171
――ヒンズークシュ山中の北部同盟兵士たち

第6章　行くも地獄、戻るも地獄……213

——アンジュマン峠で最終解脱！

（以下、下巻に続く）

＊この作品は平成十四年十一月に都築事務所より四六版で発行、祥伝社より発売されました。登場人物の役職、肩書き等は、当時のままとしました。

第1章　摩天楼より砂漠の町

――カネは天下の廻《まわ》りもの

今日も暮れゆく異国の丘に
不肖よ　つらかろ　せつなかろ

不肖

「ニューヨーク、ニューヨーク」

不肖・宮嶋、不惑《ふわく》にして、ようやく摩天楼を拝めるチャンスを摑んだ。自慢ではないが、私は世界をマタにかけるフォト・ジャーナリストである。足跡を残した国は両手両足では数えきらんし（まぁ、ほとんどはロクでもないところなんやけど……）、国ではないところ（南極です）まで足を伸ばしているのである。

しかし、唯一、世界の超大国USAとは縁が薄かった。パッキンは大好きだが、なぜかヤンキー女には乗ったことがない。行ったことがあるのはロサンゼルス、フロリダ、ヒューストンというド田舎ばかり、それもチョコッと滞在しただけなのであった。

それが、ついにニューヨークである。このチャンスが人類歴史上最悪のテロ事件のおかげというのもゴッツイ皮肉だが、起こってしまったモンはしゃあない。ともかく、これで私も晴れてもアメリカ東海岸マンハッタン島の土が踏めるのである。

というわけで、スーツ・ケースを転がしてイソイソと成田空港に駆け付けたのであった。しかし、出発ロビーの天井から垂れ下がったフライト・スケジュール・ボードを見て、目が点になった。ニューヨークどころか、ロサンゼルスなどの西海岸まで「CANCELLED」（欠航）なのである。そればかりか、バンクーバー、トロント、メキシコシテイまでアカン。待てど暮らせど、場内アナウンスのネェちゃんは機械的な声で次々とキャンセルの宣告をするのであった。

サムソナイトを引きずってディズニーランドやハワイに行くアホは泣かせてもいい。しかし、私は困るのである。世紀の大流血事件の現場を、不肖・宮嶋以外、いったい誰がフィルムに収められるというのであろう。私だけは行かねばならんのである。

だが、飛ばん。ロンドン、パリ経由の世界一周コースでニューヨーク入りを企《たくら》んでいた大メディアのカメラマンとて、私と同じ運命であった。次の日も、その次の日も、私はクレジット会社のプラチナカードを握り締めて、杉並のニューつつみ荘から成田に向かった。フライトが決まり次第、カウンターでフルフェア切符をバーンと買うのである。その額、実に往復で四〇万、ビジネスクラスなら六〇万。普段ならＨＩＳでホテル付き往復バッタチケットが七～八万で手に入るというのに、である。

私だけではない。新聞、テレビ、雑誌の皆様もみーんな熱に浮かれたようにゴールドカードを手に、スケジュール・ボードの「欠航」のサインを睨みつけていた。

このようなとき、なんで航空会社は「死んでもいい」という連中だけを募《つの》らんのであろうか。自爆テロに遭《あ》ってもかまわん、補償もいらん、そういう連中だけ乗せて飛ぶのである。パイロットだって「ほんなら、ワシが飛んだるワイ！」という神風の子孫が一人くらいは生き残っているであろうに。そもそも、わが国だけで年間一万人も交通事故で死んでいるのである。危ないから止めようなどと言っておったら道も歩けんではないか。

酒は身を滅ぼす

三日後、私とニューヨークの縁はプッツリ切れた。ブロードウェイも五番街も、そこに立つパッキン・パンスケも遠い遠い夢になった。ヨーロッパ経由でＪＡＬのビジネスクラスでも乗り継いだら、獲得マイルでもう一回アメリカに行けるっちゅう話やのに、惜しいことである。

摩天楼の代わりに私を迎えることになったのは砂漠の国であった。パキスタンに飛んで、そこで米軍によるアフガンへの空爆が始まるのを待つのである。ニューヨークとはエライ違いだが、空爆と言えば、なんちゅうても宮嶋であろう。

一九九九年のユーゴ空爆中は泊まっていたホテルの窓からＮＡＴＯ軍のミサイル攻撃を涼しい顔で眺めていたのである（祥伝社黄金文庫『不肖・宮嶋の空爆されたらサヨウナラ』を参照されたい）。ここは何としても二十一世紀最初の戦争をフィルムに収めるべく、パキスタンに入ってチャンスを窺《うかが》わねばならん。ニューヨークの土を踏めんのは残念やが、空爆が始まるとあっては致し方ない。

かくして不肖・宮嶋、パキスタン航空の客となったのであった。せめてタイ航空ならマイルもついたのに……（セコい）。日本人乗客は同業者ばかりである。NHKなんぞ凄まじい機材の量である。もうハンパやない。渋谷からイスラマバードに引越すんかというほど、ジュラルミンのケースをカウンターに積み上げている。わが古巣のフライデーから二人、ポストやサピオを出している出版社からも一人。NHK以外はエコノミーバッタ席でクダを巻いていた。

エアバスがターミナルを離れる直前、パキスタン・ニィちゃんたちが数珠《じゅず》つなぎで日本の入管職員に引っ立てられてきた。オーバーステイでとっ捕まって強制送還されるのである。こんな連中と一緒とは不吉なことである。

ついでに経由は北京ではないか。バンコクかマニラ、せめてシンガポールか台湾やろ。北京ではなーんもオモロナイやんけ。そのうえターミナルへの立入禁止、機内止めおきである。これは中国政府のイヤがらせ、かつ強制送還のニィちゃんたちのせいであろう。

機内では酒は一滴も出ない。免税のウイスキーなんぞ持ち込もうもんなら百叩きだとさんざんビビらされ、私はしばらくの断酒を覚悟した。唯一の救いは喫煙席だが、ここは強制送還のパキ・ニィちゃんたちが占領し、流暢《りゅうちょう》な日本語で騒ぎまくっている……。

それにしてもパキスタンなんぞに行って、どうなるんであろうか。いったい、その砂漠の国じゃあ、何語を話しとるんや？　ウルドゥー語やとお？　何ちゅう民族がとぐろを巻いているんじゃあ？　パシュトゥーン人が部族で、タリバンやらヒズボラがどうして？　ムジャヒディンがこうして、ビンラディンはサウジ人で、ジハードを目指す？　オレは落合信彦かあ！

マスード司令官さえ暗殺される仁義なき国に初めて足を踏み入れて何ができる？　車は？　通訳は？　どないせえちゅうんじゃあ！

私の叫び声はパキ・ニィちゃんたちの笑い声にむなしく掻き消されるのであった。

抜かれて悲しい戦地のゼニ

パキスタンの首都イスラマバードは沸いて出たTV、新聞の正規部隊ジャーナリストで溢れていた。血の匂いを嗅《か》ぎつけて世界各地からやってきた連中である。日本からも正規クルーだけで一〇〇人以上。NHKなんぞイスラマバードだけで一〇人、民放も四、五クルーがパキスタンに入っている。さらにアサインメントを持たないバッタカメラマンも集まっている。

外国勢は、米英仏独はもちろん、ノルウェー、ハンガリーなどの北欧、東欧は当たり前、ＩＭＦ管理下の韓国からも短パン姿のお行儀のよろしくないカメラマンが何クルーも来ている。なんと中国からも怪しげルックのカメラクルーが来ているではないか。そんなゼニがあったら、わが国からの借金を返し、ＯＤＡを返上すべきであろう。

こうした行儀のよくない国からも、最もガラの悪い連中がイスラマバードに押し掛け、蠢《うごめ》いているのであった。間もなくニューヨークに飽きたバッタカメラマンも、この町に向かってくるであろう。もうベトナム戦争下のサイゴンもかくやである。

しかし、たった四機の飛行機がハイジャックされただけで、全太平洋上、大西洋上の民間機が飛ばなくなったのである。米軍が空爆を開始したとたん、パキスタンの全空港がクローズされるのは間違いない。

陸路でのパキスタン入りだって困難になる。国境を接しているのはアフガニスタンの他、宗教警察がハバをきかすイラン、核をめぐって紛争が絶えないインド。中国もカラコルム山中でわずかに接しているが、秋にはここも人類通過不可能になる。「やれるうちにやる」は女の鉄則だが、戦地へは入《はい》れるうちに入らねばならないのである。

早速イスラマバードのホリデーインにチェックインしたが、右も左もわからん。言葉もイスラム教もさっぱりわからん。私にできることは、何かが起こるのを待つことだけであった。

ところが、数日後、待っていないことが起きた。撮るのが商売なのに盗《と》られたのである。何をって、ゼニをである。空爆下のユーゴでもそうだったが、有事はキャッシュに限る。チェックもカードもただの紙切れ、プラスチックとなる。

地獄の沙汰《さた》もゼニ次第だから、浜田山の第一勧銀で両替した一万ドルのキャッシュを抱いていた。大部分が一〇〇ドル札、一センチ以上の札束がロエベの札入れをパンパンにしていたのである。その命とパスポートの次に大事なモノを、毎日、部屋に戻るとしっかり確認していた。その日もカメラバックから取り出して眺めたのであった——。

「ウン?」

チョイ薄くなったような……。首を傾《かし》げた瞬間、私はオノレの耳でオノレの血の気が引いていく音を聞いた。米ドルにはまったく手をつけていないハズである。

震える手で札束を引っ摑んで数えると足りない! 全部で七六〇〇ドルと少々しかな

い！　やられた……。

全部パクらんところが悪質である。だから発見が遅れたのである……。どう考えても、このホテルの部屋でやられたとしか考えられん。ホリデーインで、である。マネージャーにネジこんだところ「何か証拠が？」などと木で鼻をくったような答えをする。なんちゅうても二三〇〇ドル以上のキャッシュである。ビンボったれのパキスタン人にホテル側は「証拠がない」の一点ばりであった。証拠さえあれば、イスラマバードの警察がホテルのハウス・キーピングを拷問して吐《は》かせ、あとはホリデーインが弁償するであろう。しかし証拠がない以上「空港や機内でパクられたのかもしれんだろう」と言われればそれまでなのであった。

まったくとんでもない国である。世界中でヤバイ橋を渡ってきた私が、こうもあっさりゼニを抜かれるとは……。パキ盗人、恐るべし。不肖、一生の不覚であった。

タリバンさんのお墨付きが要る

パキスタンからアフガンへは行こうと思えば行ける。英国が勝手に引いた国境線なんぞ、砂と岩だけの山の中だから、ラクダに乗って越えられんことはないのである。しかし間違いなくそこまでであろう。相手はバーミヤンの仏様すら爆破する野蛮人である。ソ連ですら尻尾を巻いて逃げた砂漠の狂信者なのである。二〇年間ずーっと内戦をして、一年じゅう女も抱かず、アイスクリームも食わず、風呂にも入らず、山の中を走り回っているのである。

そんな連中のナワバリに勝手に入り込んで、摘《つま》み出されるだけならラッキーというモンであろう。下手したら地雷原を歩かされる。ここは何としてもタリバンさんのお墨付《すみつ》きを貰わんことには動きが取れん。

しかし、それが厄介《やっかい》なのであった。そもそもタリバン政権を認めている国自体が少ない。サウジアラビア、アラブ首長国連邦（UAE）そしてパキスタンくらいである。あの北朝鮮の金政権を認めている国より少ない。したがって、お墨付きを貰おうにも窓口が異常に少ない。

まぁ、パキスタンにおるのだから、イスラマバード市内のタリバン代表部に出掛けるのだが、思いきりヨイショしてビザを申請しても、認められる気配なんぞまったくない。国境はとっくに閉鎖したとタリバン自身が言っている。空港も然《しか》り。第一、アフガンの首都カブール空港に乗り入れている民間航空会社がない。かつてはドバイからガルフ・エアが飛んでいたらしいが、今や赤十字や国連のチャーター機が飛ぶだけである。

そんなクソ忌々《いまいま》しい砂漠の土地に行きたいとビザを申請している同業者が何百人も列を作っているのである。物好きにもホドがある。

パキスタンとアフガンとの国境は、もちろんすべて閉鎖、国境付近の町への立入りも禁止され、我々はパキスタン国内でのテロを心待ちにする毎日であった。しかし、そのビンボーさからは想像もできんが、パキスタンの国土は日本の約二倍なのである。「カラチで暴動があったから撮ってこい！」というのは、歌舞伎町の火事を沖縄のカメラマンに撮りに行けと言うようなモンであった。

汚いターバンを巻いた男たち

そんな中、アフガン大使館（タリバン代表部）で重要なPC（プレス・コンファレンス＝記者会見）が開かれるという情報が流れた。私も予定時刻前に行ってみると――。

カメラマン生活一八年、記者会見なんぞ星の数ほどこなしてきたが、その私が呆《あき》れるほどの状態であった。世界各国の最もガラの悪い人種が、狭い大使館で限られたカメラアングルを求めて醜い争いを繰り広げていたのである。

「こっらあ！　何チョロチョロしとんや！　ラクダのクソに突っ込むどお！」

マイクを割り込ませようとした短パン韓国人クルーのガキに数ヵ国語で罵声《ばせい》が飛ぶ。

「ワタシ韓国最大テレビ局KBSクルーあるスミダ！」

「それがどないした！　こっちはCNNじゃあ！　マザーファッカー！」（私ではありません。CNNのクルーの発言です）

「我々、何しても許されるハセヨ！」

「IMFの管理下から離れてからぬかせ、このキムチ野郎ビッチ！」（東欧の記者です）

などと、複雑怪奇な国際情勢をミニチュア化した紛争が勃発するのであった。そして世界六〇億の人間の一二〇億の目を背負った我々の前にいるのは、汚いターバンを巻いたヒゲボーボーの怪しい男たち。成田に来たら真っ先に入管に連行される身なりである。

私はよく似た状況を思い出していた。けったいな服を着たヒゲヅラの男が大量のカメラの前で威張り、世の常識では理解不能の論理を正当化する――。そう、オウムの麻原の記者会見である。目の前の男たちの中心にいるタリバンのスポークスマン、ザイーフ大使はさしずめ上祐みたいなもんであろう。

「ビンラディンはアフガン国外に出た！」なんて大ウソから始まり「NYでのテロがビン

イスラマバードのタリバン代表部で記者会見する
ザイーフ大使。オウム同様、堂々とウソばっか。

世界中から集まった最もガラの悪い人種。「人間
の屑」と言われる私もこの中では人格者である。

ラディンと関係するいかなる証拠もない」などと言うあたりは、オウムが地下鉄サリン事件や坂本弁護士事件を創価学会や日本政府や米軍の陰謀だと主張していたのとそっくりである。違っているのはタリバンの指導者が本当にストイックなこと。そしてタリバンも含めたアフガン・ゲリラが大国・ソ連をも撃退したことである。あの想像を絶する砂漠と山の中で暮らしながら……。

「正義」のコスト

たった一人のテロリスト・ビンラディンをとっ捕まえて殺すために、奴に扇動されたグループとそれを支援する国家をも殲滅《せんめつ》しなければならない。そうしなければ犠牲になった三〇〇〇人の生命に見合わないのであろう。アメリカ国民一人の生命はアフガン難民何人分に相当するのであろう。この帳尻《ちょうじり》を合わせるために四兆円ものゼニが使われ、少なからぬ米軍兵士が犠牲になる。「正義」とは高くつくモンである。

しかし、あの米軍を怒らせてしまったのである。ただでは済まん。わが国ですら、広島、長崎に原爆を落とされ、沖縄を奪われ、そして日本人の誇りすら奪い取られたのである。六〇年経った今、ガキどもはまともな日本語すら話せなくなってしまったではないか。

アフガンへの「ノーブル・イーグル」作戦は想像を絶する物量戦となるであろう。空を覆《おお》うパラシュート部隊、砂漠を埋め尽くす戦車群、開戦一週間でアフガン上空の制空権どころか、主要な都市は米軍陸上部隊に制圧されるであろう。

そして一ヵ月後にはカブールにコカコーラの自販機が乱立し、マクドナルドや31アイスクリームのチェーン店が出現し、数年後には砂漠の中に世界で四番目のディズニーランドが出現し、カブールの映画館でハリウッド映画が上映され、イスラム原理主義は笑い話になり、また一つアメリカの物質文明に染め上げられた国が砂漠に生まれるのであろう。

そのような壮大なオペレーションの取材を一人で何とかせいと言うのか——。そもそも、こんな所におって、その決定的シーンを取材できるのであろうか。不肖・宮嶋、やれるところまではやる。だが、私一人でできることなんぞ知れている。せいぜい「ノーブラ・イジクル」作戦くらいではあるまいか。

米軍が取材の便宜《べんぎ》供与を図《はか》ってくれるとは到底思えん。先の湾岸戦争でもそうであった。従軍取材のプライオリティはまず血を流している国のメディア、次に汗を流している国のメディアである。いちばん後回しにされ、バカにされるのはゼニだけしか出さん国だったではないか。

海上自衛隊のペルシア湾上での機雷掃海ミッション「ガルフ・ドーン作戦」は献身的な活躍であった。わが自衛隊員たちは酷暑の中、インキンと水虫に耐え、崇高《すうこう》な任務を遂行したのである。にもかかわらず、それはクウェート市民に伝わらなかった。一三〇億ドルの援助も伝わらなかった。新聞広告の感謝の国リストに、わが日本は載っていなかったではないか！

だが、今回はやっと自衛隊がやってくるらしい。もう土井たか子一派が滅びるのは時間の問題であろう。所詮、秘書の給料をピンハネするようなセコイ連中なのである。その声に耳を傾ける必要なんぞ、あるハズがない。

後方支援なんてケチなこと言わず、習志野の第一空挺団をドバーッと砂漠に降らせるべきであろう。不肖・宮嶋、その時こそ、たちまち開く百千《ひゃくせん》の、真白き薔薇を一つ残らずフィルムに収めてみせようではないか。イージス艦には、米艦船の護衛なんて言わず、インド洋上で忍び寄ってくる爆弾抱いた漁船をハープーンミサイルで海の藻屑《もくず》にしたらんかい！

邦人保護なんて名目で虎の子の政府専用機を飛ばすこともイカン！　今、パキスタンに巣くっているのは我々バッタカメラマン、国益に反するアカ新聞や低ノーTV局なのである。ハイエナどもに税金を使った救助や保護は不要である。

ただ、死にそうになった時に、どうしても助けてくださるというなら、米軍のC－5輸送機より航空自衛隊のC－130ハーキュリーズ輸送機のほうがずっといい。なんちゅうても、わが国はパキスタンにとって最大の援助国である。この国に投下したODAの何万分の一かは、私が支払った税金なのである。そのような国がわが自衛隊の派遣にブックサ言うのは、この不肖・宮嶋が許さんのである。

無神論者の安堵《あんど》

イスラムのこの国では金曜日が休日である。市民は昼にはモスクに出かけ、地面にオッムをスリスリしてお祈りする。別に宗教上の儀式を茶化《ちゃか》すつもりはないが、私にはそのように見えるのである。イスラマバードでも金曜日にはお祈りが行なわれ、そのあとでタリバン支持の集会があちこちの公園で開かれていた。

プラカードにはアメリカやイスラエルを口汚く罵《ののし》るスローガンが殴り書きされ、ビンラディンの写真を掲げ、イスラムの正当性を訴えていた。どいつもこいつもヒゲヅラで、私にはどうしてもアホにしか見えない。

自分の信じるもののために生命を投げ出すことは尊い。誰かを救うために自《みずか》らの生命を犠牲にするのは立派である。かつて神風のパイロットたちはそうであったし、新大久保の転落事故でホームの下に飛び込んだ人たちも、その行為を賞賛されるべきである。

しかし、アレはちゃうやろ。あの四機の飛行機の中のほとんどの乗客も、世界貿易センタービルで働いていた人も、イスラム原理主義とはまったく無関係な善良な人たちなのである。その何千もの生命を屁とも思わない尊大な態度、私があのテロに巻き込まれたなら、やっぱりメチャ、ムカツク。

ビンラディンの写真を誇らしげに私のカメラに向けるアホには、あの事件で犠牲になった遺族の悲しみが理解できないのである。証拠がないからといって、あんなキ○ガイの味方になることはないではないか。私はやっぱり彼らのオツムの中は理解できないのであった。

いったい宗教とは何やろ？　信仰とはどういうことやろ？　もし日本に麻原やオウムという宗教がなかったら、坂本弁護士一家は殺されなかった。六〇〇〇人以上の人たちは地下鉄であんな不幸に見舞われなかったのである。

目が完全にイッテいる。どうせ狂うなら、宗教より酒か女のほうが罪がないのだが――。

ビンラディンの写真を掲げてタリバン支持のデモをする人びと。テロリストは英米とブッシュだと。

もしイスラム教、少なくともイスラム原理主義者がいなかったら、世界の紛争の何割かは、そして世界で起こった大テロのほとんどは起こらなかったのではあるまいか。

私は無神論者でよかった。少なくとも、信仰のために誰かを殺そうなどと思うことがないからである。

立ちションのない国

集会とデモばかりのイスラマバードからアフガン国境に近いペシャワールに向かうことにした。これからパキスタン滞在がいつまで続くかわからんうえ、キャッシュまで抜かれている私は、躊躇《ためら》わず古巣のフライデーのお二人（藤内先輩カメラマンとつるつるスキンヘッドの怪しげな小野記者、ともに巨漢でこの地のベテラン）を拝み倒した。

「タクシー代、半分を払いますから、一緒に乗せてもらえまへんか」

こうして呉越同車で出発。一歩郊外に出るとすぐに砂漠が広がっていた。通り過ぎる町に住民の姿は少ない。時折、民族衣装のおっさんが座りションしているくらいで、人間より羊のほうが多い。ここでは、あの衣裳をカーテン代わりにして男も座ってやる。そのため、我々が立ちションをしていると笑われてしまう。

前より随分よくなったと言われるが、アスファルトは穴だらけである。おまけに運転マナーは最悪である。頭を車のルーフにゴッゴッぶつけながら走ること三時間、やっとこさペシャワールに着いた。ペシャワールである。あの文春の近くの飲み屋「グラン・ペシャワール」の、あのペシャワールである。しかし、町中ゴミゴミのカスバ状態、しかも紛《まぎ》れ込んだタリバンがウヨウヨしている。

さあ、ここでアフガンから逃げ込んでくる難民をバッチシ！　なんて考えは甘い。もはや難民キャンプの取材すら当局のお許しがないとできない。勝手にカメラを回しだした新聞、テレビの方々がキャンキャン言わされているのである。

TVで流れていた、あの国境の光景が見えるわけでもなかった。本当のアフガン・パキスタン国境の町トルハムまでは、さらに二時間くらいかけてカイバル峠を越えなければならんのである。この峠越えは軍のエスコート付きのプレスツアーなるコンボイを組むのだが、その手続きは複雑怪奇、理解不能であった。

なぜかと言うと、ペシャワールとは行政府が違う。つまりトルハムまで行こうとすると、別のオカミ（トライバルエリア＝辺境地域行政府）の許可を取らねばならんのである。しかも、そのオカミの所在と複雑な手続きがようわからん。

まずはパキスタン政府の情報省ペシャワール・プレスセンターで許可を申請し、次にその辺境地域行政府の許可をもらう。それからまたプレスセンターで国境の町まで辺境地域軍のエスコートを申請し、それが認められると現地軍ヘッドクォーターまで行き、エスコートの兵隊をピックアップするのである。

どや、わからんやろ？　ワシにもようわからんのやから……。しかも、そのどれにも書類と旅券、ビザ、プレスカードのコピーが大量に要るのである。書類だけでも充分、気が遠くなる話であった。もちろん、そんなややこしいことは嫌だというスゴ腕の方は、道中数あるパキスタン軍のチェック・ポイントをジモピーのような汚い民族衣装を着て、ヒゲを生やしてシレーッとして行くという手もある。ボーダーまで六五キロ。目の眩《くら》むようなカイバル峠をラクダと一緒に歩けば行けんことはないのである。

だが、やっぱりパキスタンの軍情報部なんかに見つかるとシャレにならん。それこそミッドナイト・エキスプレスの世界が待っている。万一越境が成功しても、タリバンに見つかるとよくて百叩き、下手したら手首チョン！　最悪は打ち首獄門《ごくもん》、石打ちの刑である。

不肖・宮嶋、あらゆるミッション・インポッシブルをこなしてきた。しかし、できることとでけんことがある。こんな地球の肛門のような土地で、ウルドゥー語かなんか知らんが、宇宙人のような連中を相手にそんな複雑な手続きができるわけがない。

ほんじゃあ、このキ○ガイ沙汰《ざた》をどうやってこなしたかというと……、乗ってきた車の運転手が代行したのである。タクシーの運ちゃんの大活躍で三時間かかって、気の遠くなるような手続きを終了したのであった。

村自体が山賊の巣

現地軍とのランデブー通りには、すでに同業者を乗せた怪しげな車両が集まり、その周りに乞食のガキが輪になっていた。八甲田山やオウムの富山捜査で顔を合わせたことがあるTBSのクルー、KBSの一団もチャンワ、チョンワ！　ノルウェー、スペインもろもろのハイエナどもが一〇台ほどの車に乗って目を血走らせている。

フライデーのお二人は揃《そろ》って超デブである。車は韓国製キアの小さいリッターカー、そこにカラシニコフ突撃銃を抱えたパキスタン辺境地域軍の兵士が乗り込んできた。もう何日も羊を追いかけまわしとったようなボロボロのくっさ～い制服だが、贅沢《ぜいたく》は言えん。正規軍兵士のエスコート付きでなければアブナイのである。

ただし辺境地域軍の警備はカイバル峠までである。それ以外の山中の村は各々の長老による自治に任されているという。ここでは日本が世界に誇る平和憲法も民主主義も世界の常識も通用しない。この地を支配しているのは想像を絶する自然環境と村の掟《おきて》なのである。当然、山賊ゴロゴロ、というより村自体が山賊の巣みたいなもんである。

車はすさまじい悪路を、すさまじい砂埃《すなぼこり》を巻き上げて進んだ。ニューヨークのビルが崩れ落ちたときのホコリもすさまじかったが――。窓の外は緑の一切ない赤い岩肌が続く。足下《あしもと》は目の眩むような渓谷である。おそらく都心の一等地一坪の値段で、このカイバル峠全部が買えるほど価値のない土地である。毎月一〇〇万円もろても住みたくない山である。なんでイギリスはこんな土地を植民地にして、けったいな国境線を引いてしまったんであろうか。

そしてもっと信じられんことに、この峠を越えた国はもっとすさまじいという。ソ連との戦争、その後の二〇年にわたる内戦で、さらに不毛となっているのである。しかもその国の政権を握るのは、何の経済活動もせず、敵対する北部同盟との内戦に明け暮れ、我々どころか、当のアフガン国民ですら理解不能のイスラム原理主義を追求している連中なのである。

女は顔どころか一切の皮膚を外で露出してはいけない。男は禁酒、ヒゲは剃《そ》るどころか揃《そろ》えても逮捕。一切の娯楽は禁止、カルマが落ちるかなんか知らんが、音楽も聴いてはイカン。何千年前に書かれたコーランの世界を実践しようとする筋金入りの狂信者たちなのである。

イスラムの教義をオウムの教義、マホメットを麻原と言い換えたら、そのままオウム王国である。ついでながらイスラムも一夫多妻を認めている。マジで、である。麻原のサリン・クーデターが成功していたら、日本もアフガニスタンみたいになっていたと考えれば、ようわかるであろう。

商業も、工業もほとんどなしで、国民がどうやって食っているか、なんで内戦を続けられるのかと言えば、麻薬とそれを運ぶ際の通行税である。武器はソ連軍が残していった大量の重火器と弾薬がうなっている。皮肉なことに当時ソ連と敵対していたアメリカが供給したスティンガーなるハイテク対空ミサイルもある。

パキスタン軍情報部員、フィルムを強奪！

国境の手前九キロ、ボーダーの町トルハムを見下ろせるカイバル峠で、コンボイは停止させられた。現在、外国人が立ち入れるのはここまでである。国境の柵に殺到するアフガン難民どころか、トルハムの町さえもはるか遠くである。それでも、なーんも撮るもんがなく欲求不満だった我々はカメラを担いで外に飛び出した。警備のパキスタン兵が一斉に我々の前に立ちはだかり、撮影を止めるよう恫喝したものの、我々の迫力が勝った。

長いくねくね道が急斜面の山肌を縫うようにアフガン方向に向かっているのが見えた。何のためなのか、トンネルも見える。慌てて立ちレポを始めたTVのレポーターたちを見て、パキスタン兵たちがヘラヘラ笑っている。シュールである。眼下に史上最悪のテロリストを匿《かくま》う国を見下ろしながら、欧米人が立ちレポをかましている。そこには現地のBBCやCNNが流していた国境の喧騒《けんそう》なんてまったくない。遠望するアフガンの町ジャララバードの一部には人の動いている気配がなかった。というより見えんのである。

難民どころか、車もめったに通らない。時折、アフガン方向からピックアップトラックが峠を上ってくる。荷台に満載にされた人々を見てTVカメラがドドッと殺到する。「アフガン難民か！」という訳だが、難民が車に乗れるはずもなく、トルハムの町に行っていたパキスタン人たちであった。アフガンからタマネギを満載したカブールナンバーのトラックが、これまた時折上ってきてはパキスタン方向に砂埃を巻き上げてノロノロと向かって行く。

カイバル峠で警備のパキスタン兵と。軍服で銃を
持っているのに足もとはサンダルであった。

このチェック・ポイント付近に住みついた乞食ガキがゼニをたかってきた。一人の少女はアフガンのゼニ（アフガニー）を売りつけようとしていた。アフガンのゼニである。まもなくアメリカに叩き潰される国のゼニを買おうとする同業者は一人もいなかった。

カイバル峠からの帰途、パキスタン軍の歩兵が山肌を延々と行軍しているのが見えた。このあたりにはパキスタン軍の基地が多数あるらしい。外国人を立入禁止にし、部隊を展開して何をするつもりなのであろうか。車に同乗していたエスコートの兵士に断わって車を降り、レンズを向けた。

砂埃《すなぼこり》に煙《けむ》り、たいした写真にはならなかったが、この直後、我々を監視していたのか、たまたま追いかけてきたのか、ピックアップトラックに乗ってきたパキスタン軍情報部員にごっつい剣幕で降車を命じられた。そしてカメラに入っていたフィルムどころか、ポケットのフィルムまで強奪された。さらに私の名とパスポート・ナンバー入りの辺境地入場許可書もふんだくって行った。無礼極まる。オノレの給料の一部は私が払った税金である。中国政府も真っ青、盗人猛々《たけだけ》しいとはこのことである。

パキスタン軍が緊張状態にあるのは当然だが、ムシャラフ大統領はどうするつもりなのであろうか。アメリカに対しては協力すると空手形を切っているが、パキスタン国内にはタリバンとそのシンパがウヨウヨしている。タリバンに義理立てして、アメリカを裏切るのか、それとも寄らば大樹の陰、アメリカに擦り寄ってタリバンを見捨てるのか。そうなるとパキスタン国内で反政府運動を誘発してしまうであろう。

今、このあたりは日本の終戦直後の広島ヤクザの縄張り争い状態。深作欣二監督の「仁義なき戦い」と同じ世界が繰り広げられているのである。そして、その争いの張本人ビンラディンの行方は杳《よう》として知れないのである。

戦闘艦を派遣するとは参戦である

このカイバル峠取材のわずか三日後、イスラマバードに戻った私の周辺には軍の情報部が現われだした。とうとうケツに火がついてしまったらしい。しかし、まあ悪くて国外退去である。そのときはモスクワ経由でアフガンの北のタジキスタンにでも向かえばいい。ちょうどモスクワで女も抱けるし、ウォッカも補給できる。

な～んて、思っていたら、素晴らしいニュースが飛び込んできた。某大手通信社の報道によると、九月二十七日に海上自衛隊のイージス艦がインド洋に向けて出航するというのである。なんと三日後ではないか！　イージス艦は、これまで海外派遣してきた輸送艦と違い、純粋な戦闘艦である。戦闘艦を派遣するとは参戦ということである。

佐世保に向かわねばならん！　私は復路のバッタチケットをインダス川に投げ捨て、日本に一番早く戻れる切符を購入し、急遽《きゅうきょ》帰国の途についた。イスラマバードからインド国境の空港のある町ラホールまで車で六時間。そこからバンコクまで空路で五時間。空港で乗り継ぎの二時間待ち。そして成田まで六時間。この間、タイ航空の機内サービスでようやく酒が出され、私は浴びるほどウォッカを呑んだ。

成田—羽田をクルマで二時間ぶっ飛ばし、国内線二時間で長崎へ。長崎から佐世保まで一時間。なんと合計二四時間を費やし、ようやく目的地へ辿《たど》り着いたのであった。

この町でもパキスタンと同じように、機動隊がジュラルミンの楯《たて》を持ち警備に当たっていた。いよいよわが国も戦争に突入するのである。雌伏六十余年、ついに旭日旗を翻《ひるがえ》した戦闘艦がインド洋を渡るのである。その勇姿を私以外の誰がフィルムに収められようか。私はそのまま同乗する覚悟で海上自衛隊佐世保地方総監部に駆けつけたのであった。

「二十七日、出航するイージス艦に従軍カメラマンとしての同乗を許可されたい。不肖・宮嶋、艦と運命をともにする覚悟であります！」

勇んで申し出た私の顔をマジマジと見て、担当者は言うのであった。

「へえっ？　二十七日の出航って？　誰がそげなコツ、言うとうね？　そげなコツ、ワシら、な～んも聞いとらんとよ」

しかも、どの艦が、いつ、どこから出航するかもさっぱりわからんと言う。その言葉、その風貌からして信用するに足る方のようであった。あのタケオのゲッペルス太田三佐（カンボジアＰＫＯ当時。わからない読者は祥伝社刊『ああ、堂々の自衛隊』を参照されたい）とは性質を異にする方なのであった。

政治家、官僚のウソには厳しい社会部記者がウソの記事を書いてもエエんか！

私の航空券代一四万四五〇〇円と二四時間の貴重な青春を返せ！

しかし、よく見ると、その記事には最後に「……の見込み」とある。東スポは愛読しておるが、通信社まで同じ手を使うとは――。それから三日後、私は再び戦場を目指し、機上の人となるのであった。

第2章　裏喰《うらく》い虫の悲劇

——飛んでイカン、カブール

砂は降る降る　砂漠の町に
ヘリは出て行く　宮嶋残る
越すに越されぬダリヤ川
いつまで続く　この砂ぞ
一〇日一〇夜をヘリもなく
今日もただ待つ大使館
嗚呼　ドシャンベは今日も砂嵐だった

不肖

生きて還って来られるであろうか

振り出しに戻った私はアフガンの北、タジキスタン共和国の首都ドシャンベに向かった。なぜドシャンベかと言うと、ここにアフガン北部同盟ラバニ政権の大使館があり、しかもアフガン国内へのアクセスがあるからである。

まずホジャバハウディン（タジキスタンとの国境の町）とパンジシール（首都カブール北の渓谷）へは不定期ながら、あのオウムも買ったミル－8が飛んでいる。北部同盟がソ連軍からぶん獲《と》った骨董品ヘリである。乗れるのは二〇人くらい、パイロットはブッ壊れている計器なんぞ見ず、勘だけの有視界飛行で四〇〇〇メートル級の山を越えていくという。

それから北部同盟の司令部のあるファイザバードへも、これまた不定期だが、アントノフが飛んでいる。こちらは軍用輸送機で三〜四〇人乗れるが、片道だけの運行らしい。これらのどれかに乗れれば、空路でアフガン入りできるのである。

ただし、どちらもカネさえ払えば乗れるというもんではない。北部同盟ラバニ政権の大使館にお願いして乗せていただくのである。

モスクワ―ドシャンベ間のタジキスタン航空はすさまじいフライトであった。なんちゅうてもカード一切受付不可。一ヵ月先まで満席なのである。しかし、相手はこの前まで社会主義を奉じていた腐り切った連中である。正規料金に一〇〇ドル上乗せすれば二～三日先のフライトが取れる。さらに一〇〇ドル積むと翌日である。チケットの販売からしてコレなのだから、それから先もマトモではない。私が乗る一便前のフライトには立席があったという。新幹線の立席券ではない。飛行機なのである。私の乗った便ではテイクオフ直前にスチュワーデスが二人の乗客を引っ張り出し、代わりに別の乗客二人が乗り込んできた。札束でほっぺたを張ったのであろうが、もう無茶苦茶である。

モスクワを発って四時間後、ツポレフは真っ暗な大地にランディングした。満席の機体から吐き出されてタラップを降り、深く息を吸い込むと異様な臭いがする。その国の空気には特有の臭いがあるのは知っているが、ここの臭気は吐き気をもよおすほど強い。

空港周辺には無数の乞食ガキ、置き引き、スリ、白タクどもが蠢《うごめ》いていた。いかにも腐った土地だが、ロシア語が通用し、薄暗い町中にはバーもある。そしてロシア系のパツキン・ネェちゃんが長い足モロ出しで歩いている。同じイスラムと言っても、ここはイスラム教シーア派で、タリバンのような堅苦しいことは言わないのである。

さあ、ここが新たな出発点である。アカ落としは東京とモスクワですっかりを済ませてきた。シャバに未練があって現地入りが遅れたなどとぬかす輩はタジキスタンの砂になるであろう。

ここから先はこの不肖・宮嶋にとっても過酷な世界である。南極もすさまじかったが、四～五〇〇〇メートル級の山が聳え立っているアフガン北部も、それはそれはシャレにならん。寒いうえに低酸素、コンビニなし、水なし、電気なし、ガスなし、ネェちゃんもなし、酒なんぞもっての他という世界なのである。

あるのは岩と砂だけ。そして南極には天敵がいなかったが、アフガンにはタリバンという凶暴な連中がいる。単身、陸路を走破したウガンダ、ルワンダ、ザイールも天敵だらけであったが、そこには飲むくらいの水はあった。しかし、これから向かう世界にはそれすら満足にないのである。果たして生きて還れるであろうか。それはいつ、どこからであろうか。

北部同盟がカブール、ジャララバードを陥《おと》せば、一緒に南下して、ビザのあるパキスタン（ペシャワール）に脱出できるかもしれん。

しかし、パキスタンはタリバンの支援国である。そう簡単に再入国できるとも思えん。米軍とともにヘリで還るのも一興だが、アメリカさんが我々に協力的とも思えん。アフガン入国と同時にパスポートを取り上げられるという噂もある。

先のことを考えると限りなくユーウツである。不肖、もう不惑《しじゅう》を過ぎてしまった。髪なんぞ真っ白である。こんなハードな仕事はもうこれっきりにしたい……。

イカン！　カンボジア、モザンビーク、ルワンダ、ボスニア、コソボと渡り歩いてきた私にできんはずがない。かくして不肖・宮嶋、アフガン入りの覚悟を新たにしたのであった。

不肖、賭けに敗れ続ける

ドシャンベのアフガン大使館前は、世界各国からやってきた魑魅魍魎《ちみもうりょう》で黒山の人だかりであった。みんな、ここから空路でアフガン入りしようというのである。ヘリやアントノフにはおのずとキャパシティというものがあるから、搭乗希望者は大使館のリストに名前を記《しる》して順番を待たねばならない。搭乗券はプラチナ・チケットである。

しかもアフガンの自然環境は半端ではない。数少ないフライトも天候次第でしょっちゅうキャンセルである。投宿したホテル・タジキスタンから大使館に通い、リストの順番と天候を待つ日々が始まった。

ようやくアフガン特有の砂嵐が晴れ、久しぶりのフライトがあったのは十月七日のことであった。搭乗者リストには私の名がある。しかし、行き先は国境からわずか一二キロのホジャバハウディンである。フライトのリストは他にもある。パンジシールとファイザバード。

なんちゅうても撮りたいのは北部同盟の首都カブール入城である。険しい山が聳《そび》え立つこの地では、町から町に陸路で移動するのに数日は覚悟しなければならないから、できるだけ近くまで空路で行きたい。

2ページの地図を見ていただきたい。タジキスタン国境からの一二キロのホジャバハウディンよりはファイザバードのほうがずっと有利、カブールの北八〇キロのパンジシールなら最高である。たとえ、飛ぶのが後からであっても一発で逆転する。

ここで、乗れるからといって、ホジャバハウディン行きのヘリに乗るべきであろうか。いや、もしかしたら、それは、ヤラせてくれるのに目が眩《くら》んで、しょうもないもない女と結婚してしまうようなもんかもしれん。焦《あせ》ってそのような結婚をし、悲惨な生活を送っている男を幾人も知っている――。

私の名はファイザバードとパンジシール行きのリストにも、もちろんあった。ただし、そこでの順位はケツから数えたほうが早い。上位はCNNやBBC、ワシントンポストなどの巨大メディアが占めており、一クルー三〜五人もいる。乗れるであろうか。

「ミヤジマ?」

大使館の広報担当のザイーフが庭先で私の名を呼んだ。流暢《りゅうちょう》な英語をしゃべるザイーフは、あのイスラマバードのタリバン・スポークスマンと同じ名前だが、容姿は似ても似つかない。こっちのザイーフは若くてヒゲが一本もないやさ男である。

ホジャバハウディン行きのヘリ……、乗るか否か、最終的な意志確認である。

「権利を放棄します」

私は賭けに出た。このフライトをキャンセルし、次のファイザバード行きのアントノフに賭けたのであった。轟音と砂煙、そして私を残して、ホジャバハウディン行きのヘリは飛び立って行った。

その二時間後、ザイーフは大使館の前で再びリストを読み上げ始めた。ファイザバード行きである。二〇名ほどの名が次々に呼ばれたが、その声は私の二つ前の朝日新聞の二人組で止まった。負けであった。

しかし、終わってしまったわけではない。このリストはまだイキているから、次のファイザバード行きが飛ぶ時には二組目（六人目）で乗れるハズである。それにパンジシール行きのリストでも順位は上がっているハズである。希望は、まだある——。

と思っていたら、とんでもないことになった。その日（十月七日）の夜、現地時間二十時半、アフガン全土に爆弾が降ったのである。当然、それ以後の全便が欠航になった。私が自らの意志と判断で見送ったホジャバハウディン行き、そして二組の差で乗れなかったファイザバード行きで、アフガンへのフライトは停止になったのであった。

どう考えたって、しばらくは飛ぶわけがない。飛んでいった連中は空爆された建物や人々をバシバシ撮るであろう。それがテレビや新聞で報じられるであろう。週刊文春編集部の皆様もご覧になるであろう。そして、グラビア担当のK嬢はふっくらしたお顔をさらにふっくらさせて、おっしゃるのである。

「空爆の写真はないんですかぁ。まだタジキスタンにいるんですかぁ？　ミヤジマさんはどぉしてアフガンに行かないんですかぁ？」

ごもっともでございます。行かねばなりません、何としても。それは分かっているのです。

アフガン国境の地雷原

翌日、私はアフガン国境方面へのプレスツアーに参加することにした。いつ飛ぶかわからんヘリをボーッと待っているわけにもいかん。少しでも絵になる写真を撮らねばならんのである。

私たちを乗せたランドクルーザーはドシャンベを出発し、すさまじい悪路をぶっ飛ばした。車中は空中浮揚の麻原彰晃状態である。顔も胃もジャラジャラで五時間、やっとこさ、アフガン国境のダリア川に辿り着いた。

ここからはロシア軍のエスコートである。タジク軍はあんまりにも貧弱なため、国境警備はロシア軍に丸投げしている。いくつものロシア軍基地を転々とした挙げ句、砂しか見えない荒野の最前線基地に到着した。将校の家族であろうか、時折、基地のゲートからパツキン・ネェちゃんやガキが出入りする。

「全員、アクレディテーション・カードを出すビッチ！」

ロシア軍将校が我々のタジクのプレスカードを回収した。

「基地の中にカメラを向けたらイカンビッチ！」

ロシア軍将校に警告された後、我々は有刺鉄線の外側を歩き出した。すさまじい砂埃《すなぼこり》である。

「ウン？」

スルドい私はその有刺鉄線がただものでないことに気付いた。周りの空気がビリビリ震えている。こ、これは……、そうである、高電圧有刺鉄線である。それが延々と続いている。しかも、そのラインの川側、つまりアフガン側の側面がキレーに整地されている。

「皆の衆！　ここから先は私の後を付いて歩くようにビッチ！　そこからハズレるとシャレにならんビッチ！　そこは地雷原ノフスキー」

犬か小動物でも歩いたのか、わずかに整地の崩れた部分もある。時折、草むらに完全武装のロシア兵が隠れている。シブイ！　この地雷原の側を延々三キロメートルも歩くのだが、途中アフガン側に折れると見晴らしが良くなった。

「お～！」

思わず立ち尽くす報道陣、そこには砂煙の向こうに国境のダリア川が広がっていた。水量はかなり少なくなっているものの、紛《まぎ》れもなく国境の川である。ロシア軍将校は構わずジャブジャブと川の中に入って行った。

バグラム空軍基地付近の対人地雷。傍に玩具を置いておくようなことをする。イラン製。

対戦車地雷を誘爆させたところ。砂煙の高さが破壊力の大きさを物語る。

これも対人地雷。発見した地雷は、掘り出すのは危険なので、爆薬を仕掛けて誘爆させる。

「立派な難民」

この中州の向こうはアフガンである。この一歩は小さいが人類にとっては大きな一歩となるであろう。私は月面に降りたったアポロ11号のアームストロング船長の心境で、またはルビコン川を渡るシーザーの心境で、ダリヤ川を渡った。中州にはかすかに人影が見える。その人影が一斉に揺れてこちらに走ってくる。

おお！　あれこそアフガン難民であろう。思えば長かった。わずか東京—福岡の距離をいくつの飛行機を乗り継いだことであろう。何百ドルのキャッシュが飛び交ったことであろう。

そして、中州に駈け上がって見たのは……、タジクの人民とはまた違った顔だちの、なんやけったいなターバンみたいなもんを頭に巻いた汚い集団であった。皆、人見知りしているのか、オズオズとして近付いてこない。

なんちゅう初々《ういうい》しい難民であろう。パキスタンのアフガン難民なんぞ、カメラを持ち出そうもんなら、あっという間に取り囲んでくるっちゅうのに……。

三〇〇人ほどが住む中州の難民キャンプは中央の小学校を中心に見事に統率されていた。誰一人として物乞《ものご》いをしない。ペシャワールやドシャンベの大通りでたむろする怪し

アジア系の顔立ちだが、目は真っ青。
ダリア川中州の難民キャンプにて。

げな連中よりずっとマトモである。小学校にはガキどもが集合しており、我々が入って行くやいなや、何やけったいな歌を歌い出した。それはパキスタンの難民キャンプで田中真紀子氏の前で歌われたあのメロディ、アフガニスタン国歌であった。ほとんどが裸足なのは北朝鮮の田舎と同じだが、皆おとなしそうである。

哀れであった。生きるためには何でもするのが難民である。報道陣を見れば、物乞いをし、スキを見て盗もうとし、あるいは襲おうとするのである。それなのに、ここの難民はおとなしいばかりでなく、歌を歌って我々を歓迎してくれるではないか。

本当は腹が減っているであろう。いくら現地人でも、この地で裸足は辛かろう。それにジッと耐えているとは、なんと意地らしいことであろう。しかも、皆イスラム教徒なのである。小学校の先生は英語がペラペラ。ガキも一から十までは英語で言える。

エライではないか。キミたちはエライ！

不肖・宮嶋、幾多の難民を見てきたが、このような立派な難民は初めてである。こんな無垢《むく》な人びとを国境の川の中州にまで追い込んだタリバンというのはとんでもない奴らである。連中がこの難民キャンプにちょっかいを出してこないのはロシア軍にビビッているからである。なんちゅう要領かましであろう。なんちゅうご都合主義であろう。

中洲の難民キャンプの母子。ともに栄養状態は悪くないようだが、もうすぐ冬が来る。

二時間の滞在で中州の難民キャンプを後にした。私も他の報道陣も一銭も落としはしなかった。勝手に写真を撮っただけである。彼らのためにできたのは、携帯していたわずかな食糧を置いてくることくらいであった。それなのに難民たちは川べりに集まって見送ってくれた。後ろ髪を引かれる思いであった。

この川を渡って、彼らがタジキスタンに雪崩込《なだれこ》むことはないであろう。食糧、水、薬、すべてが不足した原始的な生活でも、あの地雷原を越えない限り一応平和に暮らせる。殺し合わずにすむのである。裸足のガキどもも東京のガキより元気そうである。不肖、柄《がら》にもなく、彼らが故郷の村に一日も早く帰れることを祈ったのであった。

異国の空は今日も暮れゆく

日本を発《た》ってはや九日、まだ着かない。まだ届かない。遥かなりアフガンである。フランシス・F・コッポラの名作「地獄の黙示録」の冒頭シーンで、マーチン・シーン演じるウィラード大尉が、ホテルのベッドの天井を見上げながらのたうち回っていた。その最初の台詞《せりふ》を、私は思い出していた。

「セイゴン（サイゴン）……私はまだこんな所にいる」

ジャングルで特殊部隊の作戦を続けているうちにプッツンして、サイゴンの町ですら退屈になり、早くジャングルでの任務に着きたいとイラついているのである。

ドシャンベの私もまったく同じであった。ホテル・タジキスタンには、ホジャバハウディンから窓のないバスが毎日のように着く。ドシャンベから丸一日の距離なのだが、帰ってくるジャーナリストは皆、ゾンビのようである。無口で頭に一ミリぐらい砂を積もらせ、頰《ほお》が瘦《こ》けている。身体を叩けば一〇キロは砂が舞い上がりそうである。過酷な地なのである。しかし、行きたい。私も早く仲間に入りたい。写真なんか送れなくたっていいのである。早く、早く硝煙と血の匂いを私に嗅《か》がせて欲しいだけである。モスクワから一緒だった産経新聞の佐藤氏、ウラジオストックで一緒に遊んだ朝日のHカメラマン、アエラの賢《かしこ》そうな記者、コソボの戦友・読売の小西カメラマン、チェチェンの戦友・同じく読売の花田記者らは、この前のフライトでファイザバードに行ってしまった。

残っている顔見知りは共同通信の原田カメラマンくらいである。ペルー日本大使公邸人質事件の際、単身プラカードを掲げ、大使公邸に入っていって日本中を驚かせた、あの原田である。二〇年ほど前の写真週刊誌時代にあやうくアナ兄弟になりかけて以来の付き合いだが、今回も私と一緒にスカを引き続けている。

空爆が始まったというのに、アフガン大使館前には相変わらず多くの同業者が駆け付けていた。今までの常識なら、空爆下の国へ航空機が飛ぶわけがない。ところが、朝も早よから駆け付けていたカメラマンどもに、広報担当のザイーフは言ったのである。

「今日、フライトがあり、これからも毎日飛ぶ予定だ」

思わず耳を疑った。私はこの日に出発する、陸路でのアフガン入りも申請していた。しかしヘリが飛ぶなら絶対にそのほうがいい。飛ぶなら、である。

また賭けである。先日のホジャバハウディンへのフライトに続き、今日また確実にアフガン入りできる陸路をキャンセルしようとしていた。ザイーフの「今日はフライトがある」という言葉を信じて……。

陸路だと、どんなに急いでも最前線の町ジャボルサラジまで一週間である。しかもその行程はすさまじい。ファイザバードまででさえ、飛べれば三日も浮くのである。米軍特殊部隊が降下してくる今となっては、一刻も早くアフガン入りしたい。

陸路のコンボイはすでに出発した時間となった。しかし、ヘリも輸送機も飛ぶ気配さえない。そして異国の空は今日も暮れゆくのであった。

アラーの神のタタリじゃ

どうしてこう裏目、裏目に出るのであろう。ドシャンベの大使館で私と原田カメラマンはほとんど牢名主《ろうなぬし》状態であった。もう一〇日目である。東京で何もせんと一〇日も待ち続けるなんて退屈で発狂してしまう。天は宮嶋を見放したのであろうか。

この一週間、私は裏目ばかり読んで負け続けてきた。誰が言ったか「ドシャンベの裏喰い虫」なのである。よほどドン臭いということであろうか。

それとも何かのタタリであろうか。泣かせた女は両手では足りないが、アフガン女とはやってない。タジク女ともやってない。イスラム……、ゲッ！　もしかして、アラーの神のタタリかもしれん。

しかし！　今日もまたダメだろうと大使館のカーペットでゴロ寝していたときである。ザイーフに駐在武官の使いが耳打ちするのを、私のスルドい目は見逃さなかった。そして側にいたどこぞの通訳が雇い主に耳打ちするのを、私のスルドい耳は聞き逃さなかった。

「We can fly」

「When?」

「This afternoon」

ゲッ！ 飛ぶんかいな？ そうなったら、ネクスト・フライト・リスト二番目の私は確実に乗れる。エライこっちゃあ！ まだ心の準備ができてない。ザイーフ自身も目を白黒させている。

噂はアッという間に広まり、大使館に詰めかけた一〇〇人以上の同業者が浮き足立った。この日も午前中に陸路のコンボイがホジャバハウディンに向かって出発する。飛ぶのが本当なら、コンボイに参加してはいかん。本当なら……。今日もまた賭けである。

大使館の表玄関に駐在武官からのオフィシャル・ステイトメントが貼り出された。「Respectable Journalists」で始まるその紙にハッキリとファイザバードへのフライトがコンファームされたとあるではないか。

「やった！ 待った甲斐《かい》があった！」

私は同じく不運な共同通信の原田カメラマン、アジアプレスの綿井氏と涙を流しながら固い握手を交わした。

「やっと……、やっと……、アフガンに行ける……」

ザイーフはキョトンとして我々を見ていた。そりゃそうである。今、アフガンからは戦火を逃れて六〇〇万とも七〇〇万とも言われる難民が流出し続けている。そんなアブナイ所に行くのを喜んでいるのである。

しかし、まだ安心はできん。切符を買わんことには……。

三時、とうとう武官がリストを読み上げ始めた。上から順に名を呼び、名乗りを上げた者に切符を売るのである。二番目に呼ばれた私は二枚綴りのカーボン紙のチケットを手にした。料金は往復で四〇〇ドル、三五キロ分のオーバーエキセス料金が七〇ドル。あまりの神々《こうごう》しさに、私はうっとり、じっくりチケットに目を落とした。長かった。本当に長かった。今晩はオクサナ（タジキスタン・レストランのウェイトレス）とメシが食えないのは残念だが、それよりアフガンの土を踏めるうれしさのほうが勝《まさ》った。ふと気が付くと目の前にザイーフが立っている。

「アンタの顔は見飽きたぜ！　とっととエアポート・ミリタリーゲートに向かえ！」

「イエッサー」

ザイーフはおそらくロンドン留学。ジョークを連発し、天気が悪い日は我々とトランプに興じながら、ドシャンベのプレスを仕切り倒していた。北部同盟のゲッペルスまたはドシャンベの太田三佐なのだが、今日でお別れである。

私は目に溜まった涙を拭《ぬぐ》い、勢いよく立ち上がって大使館を飛び出た。外にはラダの四駆車が私を待っていた。この一週間、荷物の積み下ろしだけのために雇ったようなものだったが、いよいよ役に立つ時が来たのである。

「アルミ・アエラ・ポルト（軍用空港）に行け！」

人のよさそうなタジク人運ちゃんがやっと私を見て笑った。

冬が来る前に

空港ゲートには、プラチナチケットを握り締めた共同通信の原田カメラマン、アジアプレスの綿井氏、他二〇人ほどの欧米のジャーナリストが集まっていた。やがて大使館員がやってきて、我々のパスポートとプレスカードを回収していった。こんな国でも出国スタンプを押すのであろうが、たとえ一時的にでも旅券が手許にないのは非常にビビる。

そして虚しく時が過ぎていった。皆の顔に焦《あせ》りの色が出てきた。ドシャンベからファイザバードまでアントノフで約四五分。積荷と人間を乗せるのに一時間はかかる。そろそろ限界である。アフガン領内の制空権は北部同盟と米軍にあるものの、ちょいとコースを外れれば、タリバンの高性能地対空ミサイル「スティンガー」の餌食《えじき》である。しかも周囲は切り立った五〇〇〇メートル級の山々。完全有視界飛行でなければ飛べない。夜どころか、夕方でも怖いのである。

ようやく現われたヒゲヅラの大使館員の口から発せられたのは、これまで毎日のように聞き続けてきた台詞《せりふ》であった。

「今日のフライトはない。明日九時に来い！」

コンボイでドシャンベを出て行った連中の嘲笑が聞こえるようであった。この国に確かなことなど何もない。だからこそ、彼らはフライト・リストの上位であるにもかかわらず、車で行ったのである。それは分かってはいたのだが――。

私と同じく「裏喰い虫」に成り下がっていた共同通信の原田カメラマンの落胆はすさまじかった。彼には私以上に急がねばならぬ理由があった。すでにアフガン入りしている同僚の及川記者（共同通信のモスクワ支局員）がピ～ンチ！なのである。

彼は私の古くからの知り合いでもある。オウムのロシア進出以来、空爆下のベオグラード、その後のコソボでも戦友であった（詳しくは祥伝社黄金文庫『不肖・宮嶋　空爆されたらサヨウナラ』を参照されたい）。

テロ直後、及川記者は、まさかアフガンまでは入れまいとタカをくってドシャンベのアフガン大使館でボォーッと待っていた。すると、あっという間にヘリに乗せられ、最前線の町ジャボルサラジに運ばれてしまったのである。ロクな食糧も水もなく、衛星電話《インマル》とパソコンだけを担《かつ》いで――。

その衛星電話で、ワイドショーのみのもんたの質問にノー天気な声で答えてはいたものの、健康状態はもはや限界に達し、連日、原田カメラマンの現地携帯にSOSを入れていた。電話を受ける原田カメラマンは見ているだけで気の毒であった。けっしてサボっているのではない。毎日、毎日、一刻も早くジャボルサラジの及川記者に支援物資を届けようと必死だったのである。

悪いことにまもなく冬である。ジャボルサラジはすでに底冷えしているであろう。及川記者が厳冬期装備を持っているハズもない。そして命の次に大事なキャッシュが底をつきかけているともいう。

現地では戦時下バブルで、ダニ、ノミ、シラミだらけの民宿が一日何十ドルだという。パンだけの食事が二食、お湯は一日コップ二杯。タクシーと称するワルどもは一日一〇〇ドルを、まるで死にかけの病人から衣服を剥ぎ取るように巻き上げていく。通訳と称するポンビキどもも一日一〇〇ドルをムシリ取るそうな――。

ゼニを使い果たしたが最後、それは難民になることである。歩いてトボトボ、ダリヤ川を逃げ帰るのである。それでも健康ならまだええ。この地で大流行の肝炎にでも罹《かか》ろうもんなら、死ぬしかない。及川記者は日に日に細くなる声で原田カメラマンに救援を頼んでいたのである。

そのような切迫した状況であるのに、原田カメラマンは私と出会ったばっかりに、裏喰い虫に成り下がり「今しばらく、もう少し……」と答えながら、ドシャンベで虚《むな》しい日々を過ごしてきたのである。

チケットを手にしながら、今日も飛ばないと宣告された原田カメラマンは亡霊のように立ち尽くし、虚《うつ》ろな目で空を見上げるのであった。

しかし、なんちゅうてもゼニは払ったのである。私も原田カメラマンも次のフライトには間違いなく乗れるのである。明日晴れるという保障はどこにもないのだけれど――。

やむなくホテルに戻ると、レストランのオクサナが言うのであった。

「ハァーイ！　ヤポンスキー（日本人）、まだアフガンに行かないの？」

笑いを返そうとする頬が引き攣《つ》る。私はアフガンから戻ったら彼女とデートする約束を取り付けていた。ロシア女の落とし方には二〇年のキャリアがあるから、一日のデートで必ず一発まで持っていく自信がある。しかし、明日アフガン入りできる確信はまったくないのである。

またウォッカを一気に空ける夕食が始まった。ウォッカ、ウォッカだけが、しばし不安を忘れさせてくれる。明日、目が覚め、空を見上げる不安を今だけは忘れたい私であった。

パッキン・ババアに誘われて

目覚めると抜けるような青空であった。飛ぶ、飛べる、今日こそは……。荷物を詰め、シャワーを浴びた。お湯は出ない。水量もガキの小便程度である。しかし、明日からはそれすらない。食い物、飲み水にも事欠くのである。

運ちゃんは時間どおりに来ていた。朝メシを食いに行った帰り、一階でボーイを頼み、荷物を車に積み込む。このところ毎日、朝と夕の二回、同じ動作の繰り返しである。

「日本のカメラマンさん！」

後ろから女の声がした。振り返ると、大使館でザイーフとキャンキャンやり合っていたパッキン・ババアである。名をクリスティーナという。

「なんや？」

サングラスをかけたババアはニコッと笑って言った。

「APTN（APテレビネットワーク、AP通信のテレビ版）が皆様のためにパンジシールまでのヘリをチャーターしたけど乗ってく？」

こっちは荷物抱えてヒーヒー言うとんのである。

「ノー、いらんわい！」

乱暴に答えてやると、一緒にヒーヒー言っていた原田カメラマンが顔をしかめながら尋ねた。

「何なんスか、あのババア？」

「何やようわからんけど……、あのババア、大使館前でも『APTNの支援を受けられるわよ』とか営業しとったわ。なんやパンジシール行きのヘリをチャーターしたから乗れへんかと誘われたけど、断わったで」

原田カメラマンの手が止まった。

「APTNは、それ何人って言ってる？」

「さあ……、一人とちゃうの？」

「それ、二人にならないかなあ？」

我々はホテルの中に消えようとしていたババアを捕まえた。

「スンマセン！　それ何人まででっしゃろ？」

「今ならまだキャパはあると思うけど……」

「それ、いつ出発？」

「今日よ、もちろん」

「やった！　でも、オタクらもファイザバード行きに乗るハズやなかたっんすか？」

「もちろん、今朝のファイザバード行きは乗らないわ」

「ほんで、なんぼでっかいな？」

「五〇〇〇ドル」

「一人で、それとも二人で？」

「トータルだと思うけど。支払いは東京から直接ロンドンに振り込んでもらえればいいわよ」

やった！　一発逆転である。どうせ陸路で行ってもファイザバードからジャボルサラジまで、車のチャーター代で一〇〇〇ドルは巻き上げられる。一人二五〇〇ドルは高いが、時間と安全が買えるのである。タリバンのスティンガーはAPTNのチャーター・ヘリよりデカいファイザバード行きの軍用輸送機を狙ってくれるハズである。

「ところで、旅券とビザは問題ないだろうな」

APTNの南アフリカ国籍ニィちゃんの言葉に、我々は顔を見合わせた。

「そうやった……」

昨日、軍用空港で旅券をアフガン大使館のニィちゃんに預けたままであった。

「オノレら自身で旅券を取り戻して来い！　それも条件だ！」

ニィちゃんの言葉が終わらないうちに我々は待たせていたラダに飛び乗った。

「フチェラ・アエロポルト（昨日の空港や）」

「今日はちゃんとアフガンへ行けるのかビッチ？」

運ちゃんはまた嫌味に笑った。しかし、この嘲笑とも今日でおさらばである。我々は運ちゃんの後頭部をハリ倒して空港へ急いだのであった。

パスポートを取り戻せ

ドシャンベ空港ミリタリーゲートには、ファイザバード行きに乗る二、三〇人のジャーナリストが車ごとにタムロしていた。我々が乗るはずだった便である。しかし、もう我々の目的は違う。アフガン大使館のニィちゃんに預けた旅券を取り戻すのである。朝九時集合のハズが例によって、九時を回っても何の変化もない。警備のロシア兵が突っ立っているだけでである。

九時をだいぶ回って、ヒゲヅラのアフガン大使館のニィちゃんがやっとこさ現われた。乗ってきた三菱のランサーの周りに、今日の乗客たちがわっと群《むら》がる。

「今日のフライトはもちろんある。旅券も返すので今しばらく待て。フライトは十一時以降だ」

今日のフライトなんぞ、どうでもエエのである。あれほど天を仰いだ天気も、どうでもエエのである。今、我々が欲しいのは旅券である。菊のご紋のパスポートなのである。

「パスポートを！　パスポートを返してくれ！」

「だから、乗るまでに返すと言うとるやろ！」

「ちゃう！　我々は乗らない」

大声で言ってしまって周囲を見渡すと、二人のポーランド野郎が後《うし》ろに立っている。大使館で情報交換しあったヒゲヅラの記者と、やけに無口でタクシーの中で本を読み耽《ふけ》っていたカメラマンの二人組である。(こいつらまで何しとんのや?)とは思ったが、人のことはどうでもいい。とにかく、すぐにでも旅券を取り戻さねばならん。APTNの南アフリカニィちゃんは「十時にホテルに戻って来い」と言っていた。残された時間はそんなにない。

「本当に乗らないのか?」

「ああ! キャンセルする」

「何人だ? 四人か? わかった。ついてこい」

ポーランド野郎二人は言われるなり、ド厚かましくも、そのニィちゃんのランサーに乗り込んだ。我々はラダに飛び乗り、ボケーっと待っとった運ちゃんに「前のランサーを追え!」と命じた。この運ちゃんのおっさんは人はいいが、ひじょうにドンくさいし、車はラダ、私がボスニアでオノレでハンドルを握ったロシア製のクソ車である。

おっさんは黙って頷《うなず》くと、やおらハンドルそばのチョークを引き出した。

「ドアホ! チョーク引いて、アイドリングが上がるまで何分かかるんじゃあ! ぶっ壊してもええから思い切りふかして、クラッチつないだれ!」

我々はおっさんの後頭部を、まるで最後の直線を走る競走馬のケツのようにハタき倒した。おっさんは渋々ギアを入れて発進したが、空港前の道路に出たところでランサーを見失った。

「クダー（どこへ行く）？」

このおっさんは、一度もこのような仕事を経験せずに砂漠の町で馬齢を重ねてきたのであろう。

「ドアホ！　真っ直ぐ行ったらええんじゃあ！」

こんなところまで来て、東京と同じ仕事をするハメになるとは思わなかったが、幸いランサーは五〇〇メートルほど先の道端に止まっていた。

「まっ、まっ、待ってくれぇ！」

大使館のニィちゃんは金属製の扉を閉める直前、我々に視線を戻して中に消えた。締められた鉄の扉の向こうに完全武装のタジク兵の制服が見える。時計の針はどんどん進んで九時三〇分、ヒゲのニィちゃんがようやく鉄製の扉を開けて出てきた。

「もう一〇分待て！」

それだけ言って、ランサーに乗り込もうとするニィちゃんを必死で取り押さえた。

「待てって……。誰をや？　一〇分って？　本当に誰か来るのか？」

「オフィツエル（将校）が来る」

ランサーから転げ降りてきたポーランド野郎たちが聞き耳を立てている。二人の日本人と二人のポーランド人が顔を見合わせた。

「ひょっとして……、オタクら……、APTNの？」

「ひょっとして、オタクらもチャーターヘリ？」

「ひょっとして？　五〇〇〇ドル？」

「二人で？」

何が皆様のためや。APTNはポーランド野郎にまで声をかけ、経費を浮かそうとしていたのである。本当に一〇分後、タジク軍将校らしい制服を着たネェちゃんがゲートに現われた。

「日本人二人にポーランド人二人ね」

ネエちゃんの両手には三〇冊ほどのパスポート。我々はその中からオノレの旅券を抜き取った。ネエちゃんが一人ずつ顔写真と見比べて頷《うなず》く。やっと旅券が戻った。タジクのビザなんぞ確認する暇もなく、私と原田カメラマンは車に飛び乗り、タジキスタン・ホテルのロビーに戻った。ちゃんと待っていた南アフリカ人ニィちゃんが、息せき切って駆け戻った我々に「よう間に合ったな」とウィンクを返してきた。

「フライトは何時だ？」

「十一時頃、ここを出発する。車は？」

「荷物を積んで待たせてあるわえ！」

「よし！　ここで待っとってくれ！」

腐ってもアングロサクソン

そして時計の針は回り、十一時を過ぎてもロビーに人の動く気配はなかった。南アのニィちゃんは「しばらく待て」と繰り返すばかりである。そして十二時を回った。さすがにちょっと焦りだした頃、私に声をかけてきたクリスティーナが取り巻きを連れてロビーを出て行く。

「おいおい、この肝心なときにどこへ行くんや？」

恐る恐るあとをつけると、なんとホテルのオープン・テラスでランチを食い始めた。よほどの自信があるのか、それともまるで無責任なのか、どっちかである。

そして一時を回った。もう空港に急がないと間に合わんではないか……。ファイザバードまでは輸送機で一時間足らずだが、パンジシールまではヘリで二時間はかかる。三時にはドシャンベを飛び立たないと明るいうちにパンジシールに着けない。出国手続きで一時間、荷物を積み込むのに一時間とすれば、もうタイム・リミットである。

やがて南アフリカ・ニィちゃんもエレベーターの中に消えてしまった。ロビーには我々二人とポーランド野郎二人だけが取り残された。二組は互いにロビーの反対側のソファーに深くへたり込み、ガンを飛ばし合った。双方とも心中複雑である。

しかし、あとになってわかったのだが、ポーランド野郎は我々よりも深刻だった。我々は昨日アフガンの駐在武官から受け取ったプラチナ・チケットを懐に抱え込んでいたが、連中は空港の帰りに大使館に立ち寄って、そのチケットを売り飛ばしていたのである。

二時前、ロビーに怪しげな通訳どもが集まりだした。雇い主がいなくなって、次の雇い主を探しているのである。

「プレイン（輸送機）はファイザバードに飛び立ったよ。どう、今からオレを使わない？」

目敏《めざと》いカネの亡者ども三〇人くらいが新たな雇い主を探し始めていた。

「うるさい！　今からパンジシール行きのヘリに乗るからええんじゃあ！」

強がったものの、時計の針はもはやシャレにならんことになっていた。

(こりゃあ……、ひょっとして……、また裏喰い虫に成り下がってしまったのでは……)

どよよ〜んとした暗い空気がタジキスタン・ホテルのロビーに漂《ただよ》っていた。

「おい！　原田！　こりゃあシャレにならん！　APTNのオルガナイザーをとっ捕まえよ！」

我々はホテルに散った。そして得られた情報は「はっきり言うてようわからん！」というものであった。

「ヘリはすでにドシャンベの空港に待機している」

「いやいやまだウズベクのタシケントにある」

「いや、北部同盟の飛行許可が出ていない」

尋ねるヤツによって言うことが違うのである。クリスティーナは「今、ニューヨーク、ワシントンは早朝だから、仕事が始まるまで待ってくれ」と言う。おそらく米軍の将官か政治家が、アフガン大使館の頭越しに北部同盟のラバニ氏あたりと政治取引をしているのである。欧米では一メディアのためにだって、ペンタゴンやダウニング・ストリートが動く。外交をオノレの私腹を肥《こ》やすためにやっているのは日本の大使館員くらいである。

それにしてもエエ加減である。飛べる確証もないフライトを恩着せがましく売り付けたのである。これでは豊田商事なんかのサギ商法と同じである。一応、責任は感じているらしく、アポロジャイズ（今日の不始末に対する謝罪）を表明したのは、腐ってもアングロサクソンの一味ということか。

しかし、いくら謝られても、ファイザバード行きの飛行機は飛び立ってしまったのである。その飛行機に乗るハズだった我々四人を残してである。そのオトシマエはどないつけてくれるっちゅうんじゃあ！

辛《つら》い。これほど待つのが辛いと思ったもの久しぶりである。親の危篤《きとく》の知らせを受け、台風のまっただなかの空港で待っているより辛いだろう。

こんなことをしている間に、米英のネイビーシールズか、海兵隊特殊部隊か、レンジャー部隊か、グリーンベレーか、デルタフォースか、SASが、砂漠の空を一面、落下傘で埋め尽くすかもしれんのである。

それに乗じて北部同盟が怒濤《どとう》のごとくカブールに押し寄せ、戦車のキャタピラでタリバンを踏み潰し、ビンラディンをリンチにかけるやもしれんのである。それは見たい。撮りたい。しかし、私はまだドシャンベにいる。もうワンステップがこれほど遠いとは……。

しびれを切らしたポーランド野郎がロビーを飛び出して行った。行き先は言わんでもわかる。アフガン大使館である。もはや飛び立った飛行機はしゃあない。その次のフライトを押さえにかかるつもりなのである。私もそうしたい。しかし……、今はできん。まだAPTNのフライトに賭けたい。

それになんちゅうても、大使館のザイーフに合わせる顔がない。あれほど毎日通い、拝み倒してゲットしたプラチナ・チケットを、クリスティーナの口車に乗って紙くずにしてしまったのである。それもキャンセルの通告すらなしに。我々四人がきちんとザイーフにキャンセルの通告をしていたら、リストの次の四人が乗れたのである。

ドシャンベが夕闇に包まれそうになったとき、我々はとてつもない後悔に包まれていた。このままAPTNを信じてエエもんであろうか？

本当にパンジシールまでヘリが飛べば、一日の遅れなんぞ、あっという間に取り戻せる。飛べばの話である。このまま飛ぶ当てのないヘリを待ち続けるのは、限りなくアホなことではないだろうか――。

やっぱり保険をかけておくべきである。ザイーフの保険を。しかし、会いたくない。ヤツの耳にもAPTNのチャーターヘリの話は届いているであろう。ポーランド野郎たちが大使館まで切符を売り飛ばしに行ったからである。ザイーフはカンカンで「我々（北部同盟）の許可なしでチャーターヘリなんぞ飛べるわけがないやないか！　そのドアホ四人を連れて来んかい！」と吐き捨てたという。

私はたまらずテレ朝の助手をしているマリーナというおばはんを探しだし、拝み倒した。私のかわりに、ザイーフにフライトの申請を依頼してくれるように、である。渋々ながらも承諾した彼女は、私のパスポートとチケットを手に大使館に向かった。

本当は私自身が行ったほうが事態ははっきりする。しかし！　今はザイーフと顔を合わせたくない。可能性はどんどん小さくなっているものの、APTNのヘリが出ないと決まったわけではないのである。逆転満塁ホームランの可能性がたとえ一パーセントでもあるうちは、ザイーフに会って言質《げんち》を取られたくない。わかってもらえるであろうか、この私の焦《あせ》りが……。

やがてマリーナは呆《あき》れ顔で帰って来た。

「ザイーフさんに会ってきました。私ではダメだそうです。明日の朝九時にミヤジマさん本人が大使館に来るように言われました」

ガーン！　である。風の噂に聞いてはいたが、やっぱりザイーフはカンカンなのである。ＡＰＴＮのヘリが飛ばず、ザイーフがヘソを曲げたままだったら……。考えたくもないが、地獄の陸路一週間である。それしか選択肢がなくなってしまう。

「なぜ……、ミヤジマさんはヘリや飛行機でしかダメなんですかぁ？　ホジャバハウディン行きのコンボイは毎日のように出てるんでしょう？」

週刊文春のＫ嬢はきっとそう言われるであろう。東京の編集部においては想像できん過酷な環境が待っているのである。だから少しでも先回りしたいのである。下界がどんな山だろうと、氷だろうと、修羅場だろうと、空路なら一直線である。陸路を行く辛苦《しんく》とは文字どおり雲泥の差なのである。だからこそ、時間が過ぎようが、高かろうが、賢いカメラマンは空路に拘《こだわ》る。

しかし、もはやこれまでである。ここまできたら陸路だって、いつ閉鎖されるかわからん。最悪の事態に備えてコンボイのリストに名を載せておかねば――。私はロビーでの留守番を原田カメラマンに頼み、ラダの運ちゃんから免許証と車検証を取り上げた。そして重い足を引きずって、タジク外務省に向かった。

ここでも私はオオカミ少年である。コンボイ担当のおっさんは私の顔を見て言うのであった。

「なんや、日本人、また来たんかいビッチ！　毎度毎度、お願いします、リストに名を載せてくださいと頼みに来るけど、行ったためしがないノフスキー。ほんまに行く気あるんかいノフ！」

こんなチンカス・カントリーの腐れ小役人に嫌味をかまされるほど落ちぶれてしまうとは、悲しいことである。

「へへへ……、そこをなんとか、お役人様」

毎度のとおりコメツキバッタで拝み倒し、私と原田カメラマンの名をリストに載せてもらい、ラダの車両番号と運ちゃんの名前を記した。これで、最悪でも来週初めにはドシャンベを後にできる。そして一週間後にはジャボルサラジに着く。その地獄の一週間を無事に乗り切れば、の話だが——。

夜十一時、ニューヨーク、ワシントンが朝を迎えた頃、ホテルのオープン・レストランでクリスティーナたちとダべっていた南アフリカ野郎から「まだ新しい情報は何もない、明日の朝を待ってくれ」と宣告された。今夜も相当なウォッカが必要な不肖であった。

イジメられる裏喰い虫たち

翌朝、食事を済ませてロビーでスタンバイしていた我々にAPTNの南アフリカ野郎が近付いてきた。

「申し訳ないが、この期《ご》に及んで、まだフライトの許可が出ていない。大使館にもう一度依頼することをお勧めする。我々も仕切りなおして、大使館に行くつもりだ。今回の不始末に対して深く謝罪する。我々は君たち四人が先に飛んでいったあとに、それを見届けてから大使館に依頼する。もちろん、ザイーフには君たちを優先するよう働きかける」

最後通牒《つうちょう》であった。これで振り出しに戻った。私の一〇日間はいったい何やったんや。これでは昨日来たヤツとまったく同じ立場ではないか。あんなパッキン遣《や》り手ババアを信じてしまったのは自分ではあるけれど――。

我々四人は重い足を引きずりながら、勝手知ったるアフガン大使館に向かった。ザイーフの嫌味を聞きに、である。十時前、三〇人ほど集まっていた同業者の前に姿を現わしたザイーフは、我々の姿を見つけるや、全員を館内に招き入れた。この町に来て二〇回目のイヤーな予感がする。

「リスペクタブル・ジェントルメン!」

オノレの個室にジャーナリストたちを集めたザイーフは、いきなり演説を始めた。

「本日はフライトがあります。パンジシール行きは出ませんが、ホジャバハウディン行きのヘリコプター、そしてファイザバード行きの飛行機は出ます。おっと、そこのジェントルメン！　あなた方は、なんでここにいるのですか？」

シラジラしい！　私と原田カメラマン、ポーランド野郎二人組は思わず視線を落とした。我々がドシャンベにおる理由も、ここに来ている理由も知っているハズである。せめてAPTNのヤツがおれば、そいつに罪を背負ってもらえるのだが、こういうときに限って一人もいない。

「それは……」

四人は順にポツポツ事情を語りはじめた。

「だから言ったでしょう！　我々政府の許可なしにチャーターヘリなんぞ、アフガン上空を飛べるわけないでしょう！」

ザイーフは鬼の首を取ったみたいに裏喰い虫たちをイジメるのであった。集まっている同業者の中には同じ日本人のNHK正規部隊もいるというのに……。

「あなた方が予約しておきながら直前でキャンセルしたために、ここにお集まりのジェントルメン四人があぶれたのですよ！　どう思いますか、皆さん？」

ザイーフは日本に来れば、間違いなく総会屋になれる。日本語ができれば、だが……。

「我々がスチューピッドでありました」

私はうなだれるしかなかった。

「この四人のジェントルメンは、リストの最後になっていただく。それで皆さまに納得していただきます」

頷《うなず》くしかなかった。これでは振り出しより悪い。ザイーフはリスト・トップのＮＨＫ正規部隊御一行様から順に名を読み上げていった。聞くのも虚しい。どうせドンケツなのである。

ところが！　私はこの地に来て初めての幸運に巡り会った。昨日のファイザバード行きの輸送機、および陸路のコンボイで大量の同業者が出発しており、リストがガラ空きになっていたのである。

私と原田カメラマン、中央アジアを二週間さまよった挙げ句に戻ってきた共同モスクワ支局の有田記者、ポーランド野郎二人も次の輸送機の搭乗リストに載った。

アフガン大使館の温かいご配慮により、私と原田カメラマンが持っていたチケットはキャンセル・チャージなしで有効になった。

しかし、この日も飛ばなかった。またまたドシャンベ空港ミリタリーゲートで延々待たされた挙げ句、「暗くなった」という理由でキャンセルなのであった。もう裏は喰い尽《つく》したと思っていたのに——。

ゼニの紙吹雪

翌朝九時に集合した我々は早々に旅券を集められた。メンバーは我々の他、NHKの正規部隊、NGO関係者らしき東洋人三人、スペインのテレビクルー三人（うち一人はネェちゃん、リーダーはもろラテンのノリのジョージ・クルーニーそっくりのヤツ）ギリシアのテレビクルー、フランスのテレビクルーなどであった。

ミリタリーゲートの中からボロボロのトレーラーバスが現われた。

「パッセンジャーは乗れ！」

アフガン大使館のニィちゃんの一言で、各自、荷物を車からトレーラーバスへと移し始める。

「ゴー、ゴー、ゴー」

「ダバイ・ダバイ！」

「行ったらんかい、やったらんかい！」

各国語が飛び交う中、狭いバスの中に大量の荷物が放り込まれる。どれが誰の荷物か、ようわからんが、おかまいなしである。ジュラルミンのケースあり、重そうなリュックあり、大量のミネラルウォーターのペットボトルあり。それらの荷物の上に人間が倒れ込むように飛び乗る。もうドアも締まらん状態だが、トレーラーバスはそのまま動き出した。

と、そのとき——。

「待ってくれぇ〜」

ダミ声で合唱しながら追ってくる男たちがいた。我々が雇っていた車の運転手たちである。この日の日当をまだ貰っていないのに気付いて必死の形相《ぎょうそう》で追い掛けてくる。ラダのおっさんも、このときだけはスルドく、まるでカール・ルイスのようなスピードで迫ってきた。

原田カメラマンがポケットのソモニ（タジクのゼニ）を鷲摑《わしづか》みにしてバラ撒《ま》く。どうせ、他国では両替絶対不可の腐れゼニである。他の乗客たちも走るトレーラーバスから、ソモニを撒き散らし、運ちゃんたちの追撃を振り切った。

狭いバスの車内に中央アジアの猛烈な太陽が差し込み、全員が汗だくになっている。降りる地が寒い場合に備えて、みんな厚着をしていたのである。

運命のテイクオフ

トレーラーバスはエプロンを走り続け、やがて迷彩色に塗られた輸送機の前で止まった。国籍を示す国旗もマークもない。ただ白い字で258とだけ書かれたアントノフ26であった。あの函館とサハリンを結ぶアントノフ24の輸送機バージョンである。

バスから飛び降りた同業者たちが次から次へと荷物をエプロンに降ろし始める。私もボーッとしてはおれん。

真水ですら心配なので一八リットルのミネラルウォーターを用意している。それだけでもごっつう嵩張《かさば》るうえ、重量は一八キロ以上である。その他ハムや缶詰などの食料、ランタンやコンロ、寝袋。南極以来、久々のフル装備である。

エプロンに大量の機材が並べられ、それらはやがて各自の手でアントノフのケツのカーゴベイから機内に放り込まれた。パレットもない。ロープもかけない。機内の両側に折りたたみのパイプイスが一列あり、その間が荷物のスペースであった。

「前から詰めろ！　誰の荷物でもいい！　前から順にいっぱいに押し込め！」

怪しげなアフガン恰好をしたおっさんが仕切り倒す中、各自は泣く泣く、ジュラルミンケースやらリュックを機内前から積み上げていった。上空で急旋回したら、荷物のバランスが崩れて危険極《きわ》まりないと思うのだが、おかまいなしである。我々は汗をドッとかきながら、アリのように黙々と荷物をアントノフに運び続けた。

皆、やはり怖いのである。単なる未知の恐怖ではない。あのタジキスタン・ホテルの玄関で見たアフガン帰りのドロ人形のようなテレビクルー。言葉さえ発しない、あの脱力感。これから、人間をそんなふうに変えてしまう場所へ、自らの意志で行こうとしているのである。

機材を積み終えると、再びエプロンに集合させられた我々は、タジク軍の制服を着たおっさんから一人ずつ名を呼ばれた。おっさんの両手にはパスポートがあった。名を呼ばれたヤツから旅券を受け取り、アントノフのハラの中に消えていく。

アフガン人クルーが一人、カーゴベイのハンドルを回しはじめた。ガリガリというギアの回る音とともに外光が遮《さえぎ》られていき、カーゴベイはすぐに密閉された。機内の明かりは八つの丸窓から漏れてくる刺すような外光だけである。二つのターボ・プロップ・エン

10日間、待ち焦がれたファイザバード行きアントノフの機内で、ヤル気に満ちている不肖。

ジンが唸《うな》りをあげ、プロペラが空を切る音がしたかと思うと、すさまじい轟音があがった。隣の人間の声まで聞こえない。さすが輸送機、居住性、快適性はゼロである。

エンジン音がさらに高音になり、プロペラのピッチが変わり、空気を切り裂く音が鈍くなったとたん、アントノフの小さな機体はガーンと揺れだした。そしてタキシングを続けたあと、急加速をしたかと思った瞬間、あっけなく地球の引力を離れた。さすがボロでも戦術輸送機、わずかな滑走距離で離陸可能なのである。

一〇日間を無為に過ごした、腐れドシャンベの町があっという間に小さくなり、丸窓の外は一面、黄色の世界になった。

不肖・宮嶋、南極大陸では白い大地を見下ろし、湾岸戦争中は砂漠も見た。しかし、今、眼下に広がるのはそんな美しい下界ではない。まるでアポロの窓から月面を見ている気分である。こんな地球は初めて見た。

三〇分足らずでダリヤ川を越え、アントノフはアフガン領空に入った。家も村もまったく見えない。切り立つ山々の黄色と抜けるような青、二色だけの世界が続く。ほんまにこの下で人間が生きているのであろうか。信じられん。

時折、薄い黄色のスジが見えるのは道路というか、道であろう。それにしても人や車が見えん。動くものといったら、黒いうじ虫のように見える羊の群。こんな何の価値もない土地をめぐり、なんで二〇年も戦争なんぞしているのであろう。なぜ、ソ連はあれほどの犠牲を払ってまで、この地を欲しがったのであろう。黄色い大地を見下ろしながら考えたが、私にはさっぱり理解できんのであった。

第3章　儂は舞い降りた

——アフガン入り第一声は宇宙から

タマもカメラもインマルも
しばし露営の草枕
夢に出てきたあの娘には
死んでもエエと見放され
醒めて睨むは秋の空

不肖

地球は黄色かった

離陸後約一時間、アントノフは高度を下げ始めた。このあたりは四、五〇〇〇メートル級の山がゴロゴロである。山の上を飛ぶというより、谷間を縫《ぬ》うように高度を下げていく。砂嵐だと飛べないわけである。ファイザバードへのタッチダウンはかっての香港・啓《けい》徳《とく》空港か、大阪の伊丹《いたみ》空港なみにむずかしいであろう。

おっ！　谷間にわずかだが、緑が見えるやないか。なんや川らしいもの、それに沿《そ》って人家、わずかな集落も見えた。砂漠ばっかだ思っていたら、川が流れとるんか。川があるということは水があり、その水のもとの雨も降るという証拠ではないか。カメラマンにとって雨は大敵だが、水がぜんぜんないのも困る。国を出てからかれこれ二週間、ヤケクソのようなカンカン照りが続いていたので心配していたのだが、水があるんか……。

しかし、そのような甘い幻想は数十分後に粉々になるのであった。カメラマンにとって、いや人間にとって雨なんぞよりずっとタチの悪い敵が待っていた。砂である。ガキが遊ぶ公園の砂場の砂が岩に思えるほど細かい砂が……。

アントノフの両輪が大地に着く軽いショックの瞬間、我々は一様に天井を見上げ、何かに祈った。誰も口を開かない。誰も笑わない。あれほど来たがっていたというのに——。

短いタキシングのあと、アントノフはあっさり停止した。機体後部にスタンバイしていたアフガン人クルーがカーゴベイを開けるためのハンドルを回す。双発のエンジンが止まり、静けさを取り戻した機内にギアの回る不気味な音が轟《とどろ》いた。

このとき、映画『プライベート・ライアン』の冒頭シーンを思い出したのは私だけであったろうか。ハンドルを回して上陸用舟艇《しゅうてい》の前扉を開けた瞬間、中のGIたちはドイツ軍のMG機関銃の餌食《えじき》となるのである。肉片が飛び交う、ドすさまじい修羅場であった。

キリキリとギアが一回転するごとに、密閉されていたカーゴベイが一〇センチずっ下がっていった。徐々に外気が機内に流れ込み、抜けるような青い空が目に飛び込んでくる。そしてカーゴベイが全開したとき、そこに現われたのは銃を手にした五つのシルエットであった。

シブい！　むちゃくちゃシブい！　これまた映画のシーンのようではないか。男たちは無言で機内に飛び込んできた。金属製の床を駆ける無機質な音がカンカンと響く。豊かなヒゲをたくわえ、頭にターバンみたいな、けったいな帽子を被り、ダブダブの民族衣装。そして肩から掛けていたのはAK47、カラシニコフ突撃銃であった。本物のムジャヒディン（イスラム戦士）たちとイキナリの対面である。

「おお〜！」

機内から思わず歓声が漏れた。

「パスポルト、パスポルト」

男たちはせわしく機内を駆け巡り、全員のパスポートを集めると、外に出るよう命じた。まるでアウシュビッツに到着した貨車から親衛隊に追い立てられるユダヤ人である。あまり急かされたので、私はアントノフの機内にお決まりの忘れ物をし、それは永久に手許に返らなかった。ドシャンベでレンタルした携帯電話である。

我々は穴の開いた金属板を並べただけの滑走路に降り立った。似たような超臨時空港を一つだけ思い出した。わが国の領土でありながら、ロシアに不法に占拠されたままの国後《くなしり》島の古釜布《ふるかまつぷ》空港。あそこの滑走路もこんな金属の板を並べただけであった。

だが、あとの景色はまったく違う。ない。なーんもないのである。我々が乗ってきたアントノフ以外、滑走路にはなーんもない。管制塔らしき建物も、燃料タンクも、ターミナルも、なーんもない。ついでに我々のパスポートもないのである。

滑走路脇にあるのは崩れかかった数軒の土の家。いったいどこで入国審査が、いつ税関審査が行なわれるのであろうか。

ローリング・スーツケース

しばらくすると、どう見ても近所の百姓およびそのガキといった連中が機内に雪崩《なだれ》込んで、我々の荷物を引きずり出した。次々と滑走路に放り出される荷物を各自が必死になって区別していると遠くで砂煙が上がった。一台の車がすさまじい勢いでこちらに向かってきたのである。

呆気にとられて見ているうちに我々の荷物の横で止まった。一五年落ちくらいのトヨタのピックアップトラック、ボロボロのうえにナンバーも付いていない。なんやろ?と思っていたら、ＮＨＫ様一行がさっさと荷物を積み込み、残った我々に砂埃を頭から浴びせて、来た道を猛スピードで走り去った。

ポカーンと口を開けていた私はようやく悟《さと》った。ここには入国審査も税関もないのである。やがて一台、また一台と砂煙を巻き上げながら車（ピックアップトラックやロシア製のジープ）が現われ、人間と荷物を積み込んで走り去っていく。フランスのＴＶ局、ＮＧＯの東洋人と、次々に消えていき、残ったのはジョージ・クルーニー率《ひき》いるスペインのＴＶクルーと私と共同通信だけとなった。

荷物を運び出していた百姓とガキどもは、いつのまにかカーゴベイに座り込んで涼をとっている。そのまま時間が止まった。ムジャヒディンたちも手持ち無沙汰《ぶさた》に立ち続けている。百姓とガキどもが滑走路脇のドロ家の修理を始めた。

また一台、ロシア製のジープがやってきた。とうとう我々の番かと期待していると、アントノフの真横に付け、中からブルカ(イスラム女の頭巾)を被った女がガキを抱いて出てきた。続いてその家族らしき連中。彼らが機中に消えた次の瞬間、ウィーンという金属音が上がった。

「やばい! セルモーターや!」

日頃、プラモデルばかり作っているのは伊達《だて》や酔狂《すいきょう》ではない。アントノフの右エンジンのプロペラ軸直後のエキゾーストがバチバチ音を立て、その内部が真っ赤になった。まるで破動砲を撃ち出す前の宇宙戦艦ヤマトである。

次の瞬間、猛烈なバックファイアーが我々を襲った。砂煙が巻き上がり、重さ四〇キロ近いゼロハリバートンのスーツケースが熱風で転倒した。野営道具を満載したリュックがゴロゴロ滑走路を転がりだす。とても人間が立っていられる状態ではない。後ろに人がいようと、荷物があろうとおかまいなし。強烈なガスバーナーで炙《あぶ》られているのと同じである。アントノフはチョコッと滑走したかと思うと、アッという間に消えた。

ファイザバードの超臨時空港に到着。手前で座っているのは荷物を運び出した人夫たち。

標高は三〇〇〇メートル近いハズだが、暑い……。唇のひび割れで、異常に紫外線が強いのがわかった。ドシャンベから運んできた命の綱のミネラルウォーターを口にする。

腐った足とガソリンの匂い

それから三〇分後、我々は最後の車に乗った。電気がないので、どこにも電柱はない。ガス、上下水道もない。コンビニ、警察も消防もない。カンボジアの屋台小屋みたいな商店らしきものが見える。リンゴやタマネギ、駄菓子なんぞを売っているようである。なあ～んや、一応なんとかなりそやないか。

車自体が珍しいのであろう、遊んでいたガキが例外なくウワァーッと歓声を上げながら駆け寄ってくる。北朝鮮で見た気色悪い笑顔とはまったく違う、本当に素朴な笑いであった。なんや、結構フレンドリーやないか――

少しばかり拍子抜けしたが、思えばタリバンが異常なのである。テロ事件前、タリバンの支配地域に入った西側カメラマンによると、それはそれは不便だったそうな。パキスタンとの国境を越えたとたん、宗教警察の監視が付き、人物にカメラを向けないよう警告される。宗教警察である。思想警察、公安警察、秘密警察などはいろいろな国で聞いたことがある、しかし、宗教警察なのである。

彼らはタリバンのキメに違反した者をショッぴいてシバキ倒す。ヒゲを剃っても投獄、外国人がアルコールを飲んでも逮捕、グダグタ言うと即スパイ罪適用である。その刑罰たるや、手首切り落としに百叩き、石打ちの刑。死刑にいたっては銃殺、絞首刑はラクなほうで、喉の掻き切り、手による八つ裂きなんてのもある。それを公開でやるのである。

ところが、同じ国の北側の一部（北部同盟支配地域）では、そんなことはない。北部同盟もイスラム教だから、一応、戒律はあるのだが、ノビノビしているように見える。これは、タリバンがパシュトウーン人、北側がタジク人、ウズベク人、ハザラ人だからであろうか。私の見たところ、人種の違いではない。すべてはタリバンのド外れた恐怖政治のためである。連中が常軌を逸しているために、普通のイスラム教徒たちがノビノビしているように感じるのである。

やがて車は上空からも見えていた川の畔《ほとり》を走った。切り立った崖にはガードレールも街灯もない。ハンドル操作を誤っても、対向車がいきなり現われても、あの世行きである。

集落に入った車はドロ道のカスバみたいなところをくねくね走り、崖っぷちに立つボロ家の前で止まった。ムジャヒディンが警備しているところをみると公民館のような建物なのであろう。よっこらせえと荷台から荷物を引きずり出す。どっこらせえと目の前の急な階段を引きずり上げ、小学校の花壇のような道を抜ける。玄関というか、入口は虫食いだらけの木製ドアである。

恐る恐る開けると、腐った足の匂いがツーンと鼻についた。この匂いとガソリンの匂いがアフガンの匂いである。電気もガスもないこの国では、コンロも発電機もガソリンである。しかし粗悪なために毎日手入れをしてもまともには動かない。この地にいる誰もが、一日のうちの何時間かをガソリンと煤《すす》にまみれて過ごすのである。

薄暗い室内に目が慣れると、中央の通路を挟んで両側に部屋が五室ずつ並んでいるのがわかる。それぞれの部屋にドアはない。留置場のような作りである。

アフガン到着第一声

薄暗い部屋には、大量の外国人記者が所狭しと機材を積み上げていた。いったいどこで寝るのやらと心配になるほどである。しかし、心配なんぞしても仕方がない。パスポートをアントノフの機内で巻き上げられたままだから、ここに一泊するしかないのである。

通路の真ん中あたりに、腐った足の匂いとは違う強烈な匂いがした。言わんでもわかる。ここがトイレなのである。これだけの人数でトイレが一個では中の状態は推して知るべしであろう。しかし、これも心配はいらない。外にはナンボでも天然トイレが広がっているのである。

思ったとおり、この公民館には我々の入り込める部屋はなく、私と共同通信の原田カメラマン、有田記者の三人は食堂をあてがわれた。腐りかけた机にまずそうな煮豆の皿が並べられ、一〇人ほどの外人記者が静かにパンを千切《ちぎ》っていた。三人には広すぎるが、外人、現地人を問わず、入れ替わり立ち替わり誰かがメシを食いにくるので、落ち着かないこと、この上ない。

しかし、この留置場も一歩外に出れば別世界であった。そこかしこにムジャヒディンたちがカラシニコフを肩に目を光らせているが、崖の下には川が流れ、その脇には芝生の緑もあった。

ただ芝生一面にはインマルのお皿（アンテナ）がこれでもかというくらい並べられていた。中には写真電送用のデジタル三面型の大型アンテナまである。そして各国を代表するおエライ記者様たちがお決まりのポケット片手突っ込みでインマルの受話器に向かい、たった今アフガンの土を踏んだ興奮をしゃべり続けていた。これから始まる地獄への不安など微塵《みじん》も見せずに——。

私もテレ朝から借りてきたインマルを広げた。シブい！　なんや、それだけで世界的ジャーナリストの気分である。まぁ、かける先は週刊文春編集部のＫ嬢ではあるが、この際、相手なんぞ誰でもいいのである。やってみよっと。

「たった今、アフガニスタン北部ファイザバードに到着した」

こうして私のアフガン第一声は、ファイザバードの公民館から真南一八〇度、三万メートル上空の大気圏外で地球を回るインマルサット衛星を通じ、東京・新宿のＫＤＤの交換機を経て紀尾井町に届いたのであった。

おっと、テレ朝を忘れてはイカン。「あんなアホに高価な電話を貸して大丈夫かいな」という周囲の声にもめげず、貸与してくださったテレ朝外報部にも第一声を届けた。これまで二週間、担当者は持ち逃げされるんではないかと心配でしょうがなかったであろう。受話器の向こうの声は安堵《あんど》に弾《はず》むのであった。

そのとき、上空で轟音《ごうおん》が響いた。すわっ、米軍の空爆かいなと身構えたが、ここファイザバードには北部同盟の司令部がある。そんな所に米軍の爆撃があるわけがない。山の谷間に姿を現わしたのは見慣れたアントノフの機影であった。また一機着いたのである。

いったいどこから飛んできたのであろう？　なんて疑問は一時間後に氷解した。公民館にドドドッと外人クルーが押し寄せてきたのである。そして、なんと、そのほとんどがAPTNのクルーだったのである。あの南アフリカニィちゃんも、クリスティーナもいた。

通訳ほど素敵な商売はない

私がドシャンベで待っていた一〇日間、ちっとも飛ばなかったファイザバード行きの輸送機が、今日に限って二便も飛んだのであった。APTNのクルーは戸口から顔を覗《のぞ》かせ、食堂の隅で荷物の整理をしていた我々三人に尋ねた。

「この部屋、何人じゃ？」

「三人やけど……。それが？」

「この広い部屋に？　ファック！」

一言、呟《つぶや》いてどこぞに消えたかと思うと、数分後にはドドドドッと押し寄せてきた。そして、どうやって輸送機に載せたんやと聞きたくなるくらいのジュラルミンのケースを運び込みはじめた。食堂だから、見知らぬヤツが出入りするとはいえ、隅っこでささやかな安らぎを得ていた我々は顔を見合わせた。

「ここ、食堂や……。それにあんたらが荷物を積んだテーブル、それ、食卓やで……」

一応、忠告してやった。

「それがどないした（And what）？　ここがいちばん広いんや！」

とんでもない連中である。しかし、こんなヤッらに礼儀っちゅうもんを教えているほど暇《ひま》ではない。ここファイザバードは北部同盟の司令部があるというだけで、何の取り柄もない町である。こんなクソ田舎に長居は無用、旅券さえ返してくれたら即、出発せなイカン。なにしろ最前線の町ジャボルサラジでは及川記者が首を長くして救援物資を待っているのである。

いや、他人のことなんぞどうでもエエ。この不肖・宮嶋も一日も早く最前線の町に辿り着かねばならんのである。車も今日のうちに車を調達しておかねば――。

それに、何より情報収集である。ファイザバードからジャボルサラジまではシャレにならん急勾配の山々が続く。一つ情報を間違えれば、一つ準備を怠れば、生命の危機さえ招きかねないのである。

幸い、この公民館は前線への中継地になっていた。我々より三日も前にドシャンベを出発したコンボイ組の皆さんは昨日の夕方に到着し、丸一日以上足止めされていた。また早々にもジャボルサラジから脱出してタジキスタンに戻ろうとしている人たちもいた。そして、ムジャヒディンが警護しているにもかかわらず、この公民館にはなんやワケのわからん魑魅魍魎《ちみもうりょう》どもが多数出入りしていた。自称外務省の役人、そして通訳とかガイドと称するアブナいアホどもである。そいつらは頼みもせんのに部屋に入ってきては「雇ってくれ」と我々のあとを付きまとうのであった。

通訳はもちろん必要である。そんなことは百も承知だが、何語が使われているのか、ようわからん。タリバンはパシュトゥーン語、北部同盟はペルシャ語の方言のダリ語、その他ウズベク、タジク、ハザラ語などを使っているというのだが、ここで連中が話している言葉がいったいどれなのかさえ、まったく解《わか》らんのである。しかも、ここから先は内戦中である。こういう有事下でアホの通訳、どん臭いガイドを掴むと命にかかわる。そのことを私はよおーく知っている。簡単に雇ってはイカンのである。

雲霞《うんか》のごとく寄ってくるのは、どれもこれもアホばっかりであった。怪しい身なりは仕方ないにしても、英語で一から一〇まで教えられそうにないヤツばっかである。中でも一番しつこいアブドルと名乗るアホは、何を聞いてもイエスとしか答えない、むちゃくちゃ都合のええオツムをしていた。二二歳だというのだが、ガキが三人もいて苦労しているためか、それとも厳しい自然環境のためか、三〇歳くらいに老けて見える。

「ジャボルサラジまで運んでくれる日本製の4WD車を見つけてきたら一〇〇ドルやるぞ」

試《ため》しにそう言ってみると、ゼニの話だけはよく理解できるらしく、アブドルはピューッとどこぞに出て行った。

これほど臭いアホは初めて

荷物の整理を終え、市場に出ようとすると、しっかりムジャヒディンのニィちゃんが護衛に付いてきた。公民館から市場まで三〇メートルである。

市場にいるのはガキとジジイばかり。若い男は当然、志願してムジャヒディンとなり、前線へ行っているのであろうが、ネェちゃんもいない。一応イスラムだから、女はあんまり外に出てはイカンらしい。年頃になった女は外出する時、ブルカをスッポリ被ってしまうので、ババァかネェちゃんか、ブスか美人か、まったく判別不能である。そんなことをして、何がオロモイのであろうか。不思議な人々である。

ガキといわず、ジジイといわず、私のことをジィーッと見ている。そして距離をおいて付いてくる。まるで動物園のパンダかサルにでもなった気分である。けっこうフレンドリーで、カメラを向けると喜ぶが、女の子はキャーと声を上げて逃げてしまう。

男たちの容貌から察すると、パキスタンなどよりはるかに欧米人に近い。彫りの深い顔、金髪や青い目もいる。これはロシア兵が強姦《やり》まくったというより、昔からのDNAのせいなのであろう。ブルカさえしていなければ、ダイヤモンドの原石のような、かなりの上玉がゴロゴロのハズである。もったいない限りである。

ネタに困ったら、ボスニアに続き「アフガン美女図鑑」でもやったろと考えていたが、この地ではムリである。ブルカを引っ剝がして写真を撮ったら間違いなく国際問題であろう。よくて強姦扱い、悪ければ半月刀を持った一族が、私のチ♥ポを切りに日本まで追い掛けて来るであろう。婚前交渉なんぞ殺人と同じ。男女交際だってもってのほか、第一アベックで行けそうな喫茶店も映画館もない。屋台は夕方六時にはすべて店じまいという世界なのである。

市場の両替屋は、パキスタンのルピーとともに一ドル札や一〇〇ルーブル札、一〇〇〇円札も並べていた。ここでは、どこの紙幣でも両替できるのである。それくらいこの国の通貨は弱っちいのである。噂では隣国のタジキスタンで刷っているという。レートは一〇〇ドル札が四〇〇万アフガニー。最高紙幣が一万アフガニーなので、一〇〇ドル札一枚が四〇〇枚の分厚い札束になってしまう。北部同盟とタリバンは、内戦はしていても同じアフガニーを使っている。ただし地方によっては、そこでだけ使用されている地方ゼニがあり、ドスタム・マネーとかファイザバード・アフガニーと呼ばれ、レートも違うらしい。私は早速、アフガン・スカーフとマスード帽を買い求めた。何事も形からである。

夕方、どこかに行っていたアブドルが現われて、また「雇ってくれ」と付きまとう。「五〇ドルくれたら、ここに一緒に泊まってもええのら」などと、とてつもなく勘違いなことを言う。しかし、コイツはアホなだけでなく、足がとてつもなく臭い。「クレヨンしんちゃん」のひろし父ちゃんも真っ青なほどである。靴を脱いだだけで部屋じゅうがモアーッとなる。それでなくとも小便臭い部屋なのに、コイツがいるとたまらんのである。

「あした来い、あした!」

とにかく早く追い出すためにそう言うと、翌早朝、車を紹介するのだと勝手に思い込み、帰っていった。アホはずいぶんと見てきたが、これほど臭いアホは初めてである。

雑貨商のおっさん。煙草、電池、マッチ、筆記具、キャンデー、クルミ……。かなり豊富。

１万アフガニーの札束を抱える億万長者の少年、ではない。これで100ドル札数枚分か。

ファイザバードの市場内の衣料品店。まわりはぜーんぶ山岳地なのでみんな防寒衣が必要。

夕食は羊の肉の焼いたので、おそろしく固い。ほとんど犬の餌である。匂いと顎の疲労で、とても全部は食い切れん。しかし、こんな犬の餌でもムジャヒディンたちにはご馳走だったらしく、我々が残した肉を手摑みで貪《むさぼ》り食っていた。唯一ありがたかったのはお茶である。どういう訳か、日本の緑茶と味も見かけも変わらんのであった。

夜は申し訳程度に発電機が回った。しかし、みーんなが一斉にインマル、デジカメ、パソコンの充電器をタコ足で差し込み、アッという間にブレーカーが落ちてしまった。

私のアフガン初夜は新月であった。真っ暗な夜空に星が降っている。天の川の星の一つずつが見える。ネオンの代わりに満天の星が私のアフガン入りを歓迎してくれているようである。明日はジャボルサラジへと出発できるであろうか。どれくらいかかるのであろうか。考えても仕方がない。なるようにしかならん——。

真っ暗で本も読めない。パソコンも打てない。酒もない。暗くなったら寝るしかないのである。だから、ここではガキばっかり目につくのであろうか。女たちも家から出られんで、他に楽しみがないからであろうか。しかし、せっかくぎょうさんガキを作っても、この環境では病気や栄養失調でボコボコ死ぬであろう。無事に育った若者だって、今度は戦争でボコボコ死んでしまうのである。

やはり神様はいるのであろう。ボコボコ死ぬからボコボコ作らせて、そのためにイスラムの神は一夫多妻を認めているのである。私は寝袋の中でそこまで哲学し、次の瞬間、酒も飲まんのにスコーンと深い眠り落ちたのであった。

運ちゃんはカタギやない

まだ夜も明け切らぬうちに目が覚めた。私だけではない。公民館に泊まっていた全員が早寝早起きの良い子であった。早朝五時、みんな慌《あわただ》しく荷物を詰め込みはじめた。「朝食はどうする?」というムジャヒディンの申し出を受ける者はいない。一刻も早くジャボルサラジに向かって出発したいのである。

昨夜アントノフの中でパスポートを取り上げていったニィちゃんが現われ、一人ひとりに返しながら四〇ドルを徴収していった。内訳は入国手数料が一〇ドル。これは領収書もくれたし、パスポートにも入国スタンプらしきものが押されていた。トランスファーサービスが五ドル。あのなーんもない空港から公民館までの輸送料である。あとの二五ドルがこの公民館での食費と宿泊費であった。

ゼニを払うとニィちゃんは今後のルートを尋ねてきた。ルートといったって、どこを通っていくのかもわからんので「ジャボルサラジ」とだけ答える。ニィちゃんは何かサラサラとメモをし、その紙を放ってよこした。

「パーミッションだ」

「ふ〜ん?」

それはどう見ても落書きであった。

「一人か? 日本人」

私は共同の三人の顔を見渡した。

「いや三人だ」

「どこのエージェンシーだ?」

「キョードー」

有田記者がとっさに答えた。彼がそう言う分にはウソではない。結局、そのパーミッションに「KYODO」の三人の日本人名が書かれた。どうせ私の身分なんぞメチャクチャである。東京にいるときはカメラを持った暴力団と呼ばれ、ロシアの入国ビザ、身分証、タジクのプレスカードには「SHUKANBUNSHUN」、そしてここからジャボルサラジまでは「KYODO」になってしまった。

珍しいガイジンを見てハシャギまわるガキども。
ずっと戦争中でも、この子たちは健全に見える。

いずれにせよ、ジャボルサラジまで車を借り上げるのだから、運転手一人に乗客三人、ぴったり一台に収まる。お互いチャーター代もワリカンにできるというもんである。

公民館の外には、早くもおいしい話を聞きつけた五、六台の車が集まり、エンジン音と怒鳴り声を響き渡らせていた。出遅れてはイカン！　早く程度のよい車を確保せんと、他の奴に取られてしまう。これから少なくても三日、最悪なら一週間は乗り続ける車である。なるべく安全、快適であるに越したことはない。できればパジェロかランドクルーザーである。これだと荷物も室内に収まり、窓も閉まる。トヨタのピックアップトラックは積荷が外に放りっぱなしだから、埃まみれになる。最悪はヤズ（ロシア製のジープ）で、これだと荷物どころか命の心配をしなければならない。ボヤボヤしとれん。

すでにフランス人クルーはパジェロと交渉を済ませ、荷物を積み込みはじめた。スペインのジョージ・クルーニー一派もピックアップトラックを調達したらしく、荷物を移動している。天下のNHK様もランドクルーザーを確保していた。

「おえ！　昨日の約束、覚えてとるやろ！」

私は動きの鈍いアブドルを見つけてケツを蹴り上げた。

「トヨタを見つけてきたら一〇〇ドルやるっちゅうたやろ！　とっとと探してこんか

い！　おお、ちょうどエエ。あの壁際の黒のピックアップトラック、あれ借りてこい！」

ノロノロと公民館を出て行ったアブドルは運転手に何やら話すと、こちらに手招きした。ＯＫなのであろう。

だが、それは近くで見れば見るほど悲惨な車であった。楽々一五年落ちである。ウィンドウはハンドルが取れていて、閉まるのか開くのかもわからん。中は埃だらけでボロボロ。シートなんぞ、手を置いただけでムアーッと埃が立ち上ぼる。

右ハンドルで、シフトチェンジのインストラクションは日本語である。ということは、それまず日本からの盗難車であろう。こんなボロ車で四人が何日も過ごさなアカンとは、それだけで絶望的な気分である。だが、それ以上に滅入るのは運ちゃんの人相である。痩せた小男、薄いヒゲ、そして細いブルーの目。どう見てもカタギではない。タリバンから麻薬を買い、パキスタンまで往復するカミカゼ・ドライバー丸出しであった。

しかし、よう考えたら、そういうヤツのほうが安全かもしれん。それに、見回してもマトモな車は残っていない。ロシア製のジープに乗ることを考えたら……。問題は値段である。

「ジャボルサラジまでナンボや？」

事前に収集していた情報では、車種にかかわらず一〇〇〇ドルに統一されているという。こんなところでも談合しているのである。

「一〇五〇ドルですら」

アブドルは迷わず答えた。他のことは遅いくせにゼニのことだけは反応が早い。談合価格より高いハンパの五〇ドルを問い詰めると、このあたりを仕切っているボスにピンハネされる分だという。国民の平均月収二ドルからすれば、五〇ドルは大金である。二杜で割って五〇〇ドルちょい。高い。ヤツらの標準からすれば、とてつもない金額である。しかし、この一〇〇〇ドルは談合価格だから値切ってもムダである。それに半値でもロシア製のジープには乗りたくない――。

カップヌードルの値段

交渉がまとまれば、もうファイザバードになんぞ用はなかった。少しでも明るいうちに距離を稼がねばならない。我々は公民館から荷物を引っ張り出し、次々と荷台に放り込んでいった。人相の悪い運ちゃんはロープで荷台を厳重に縛りはじめた。それだけで、とてつもない悪路なのがわかる。私の運んできたカップラーメン二ダースのダンボールもその荷台に縛られた。

東京から運んできた貴重なカップラーメンである。正確に言えばカップヌードル・オーソドックス、プラスシーフード、プラスカレー味で二ダースである。

何故《なにゆえ》に二ダースか。ミヤジマは独り暮らしでカップヌードル中毒になっているなどとぬかす輩《やから》はファイザバードの犬の餌となるであろう。

共同通信やNHKのような一流大メディアと違って、私は後方支援ゼロである。現地でコネを手繰《たぐ》りまくり、スルドく情報を摑むのである。

そのとき、お世話になるだけ、貰うだけでは乞食である。不肖・宮嶋、そのような誹《そし》りを受けたことがないと言い切るものではないが、できれば受けたくはない。それに魚を釣るのには餌っちゅうもんが必要なのである。

この地で、特に日本人にとって、カップヌードルがゼニ以上の働きをするのは目に見えていよう。ひょっとしたら一カップラ、二カップラと通貨のように流通するやもしれん。パソコンもデジカメも持たず、オクリ（写真送稿）不可の私は、カップラーメン一個で写真一枚電送などと計画し、わざわざ紀尾井町の編集部から運んできたのである。

それにしても、ジャボルサラジで救援物資を待つ及川記者は、このカップに口を付けるとき、どのような顔をするであろうか。私はカップヌードルのケースを壊さず大切に縛るよう、運ちゃんにキック指示したのであった。

「よっしゃあ！　荷物は積んだ。水も持った。パスポートも懐《ふところ》や！　行ったらんかい！」

バタンとドアを閉めたとき、アブドルがまたすがりついてきた。これから先、何があるかわからんから、通訳として自分を連れて行ってくれという、ド厚かましい営業であった。しかも一日一〇〇ドルという、とてつもない勘違いプライスである。

「アホ！　あとはジャボルサラジまで車に乗っとるだけや！　通訳はもう必要ないわい！　それにオマエを一人乗せたら、その分スペースがなくなるし、重くなるやないか。エエことなーんもないんじゃ！　シッシッ。とっとと去《い》ね！」

オマエを乗せると、ただでさえ汚い車内がドッと臭くなるというのが最大の理由だが、それを言わなかったのは私のやさしさというもんである。オノレの愚かさに気付いたのか、アブドルは値下げを始めた。いくら値を下げてもイランものはイランのである。迷惑なのである。

通訳もピンキリである。ドシャンベのアフガン大使館でタムロしている英語ペラペラ、ダリ語、ウルドゥー語、何でもござれのスゴ腕となると一日三〇〇ドルである。私よりずっと稼ぐ。しかも往復の旅費までこっちがかぶる。CNNがホジャバハウディンあたりで使っているのは一日一〇〇ドルとまで言われている。

そんな戦時バブルに影響されて、アブドルのように英語で一から一〇まで数えられないようなアホも、おこぼれに与《あずか》ろうと必死なのである。中には中学生みたいなガキまで通訳と称して現われる始末である。

結局、アブドルは折れに折れ、ジャボルサラジに着くまで一五〇ドルで折り合った。何度も言うが、本当はこんなアホで臭いヤツは連れて行きたくなかったのである。

ところが、これが大正解であり、大失敗でもあった。大正解のほうがちょいと大きかったが——。

行けど進めど　岩また岩の
山の深さよ　夜の寒さ
酒を禁じて黙々と
女を断って悶々と
不肖はジャボルへ　前線へ

不肖

第4章　ポーランド隊、谷底に転落す！

――いざゴールへ、チキチキマシン猛レース

牛にバンパーをブチ当てて

トヨタのピックアップトラックの荷台には、私と共同通信二人分の荷物、そしてカップヌードルを含む及川記者救援物資がしっかりと積み込まれた。アブドルと運ちゃんは荷物なし。着替えさえ一切なしである。いくら地元とはいえ、アバウトすぎる。

助手席にアブドル、そして運転席との間にカメラバッグを積み上げた。我々三人は後部座席で、半日ごとに座る場所を変えるという約束。朝六時、まだ夜明け前である。ところが出発してすぐに車が停まったかと思うと、アブドルの横にまったく見たこともないニィちゃんが乗り込んできた。

「おい！　アブドル！　なんや、こいつは？」

「イエ〜ス！」

「イエスやない！　こいつはなんや？　と聞いとんのや！」

「この人はこの車のクリーナーですら」

「クリーナー？　なんや、それ。こんな車、掃除したってしゃあないやろ！　誰に断わって、この車に乗っとんのや？」

「イエ〜ス！」

「オマエはイスラムやろが！　何がイエ〜スじゃ！　誰の許しを得て、ここに、こいつが、おるのや、と聞いてとんのや！」

「彼はこれからのドライブに必要ですら」

「そんなスペースはない。蹴り落とせ！」

「イエ〜ス……」

ド厚かましくも勝手に乗り込んできたニィちゃんを二分で降ろし、我々の車は南へ向かったのであった。けっこう人が歩いている。アフガン人は酒も飲まず、電気もないので、皆六時には目覚める。朝も早よから、ロバを引いた家族連れ、畑を耕す百姓、羊を追うガキどもが道路に溢れていた。トヨタはクラクションを鳴らしつづけ、南の町バハラムを目指すのであった。

右側にはきれいな川が流れているが、岩肌丸出しの山には草木一本生えていない。間もなくすさまじい悪路が始まった。四輪駆動車のコマーシャルに出てくるような道である。橋なんぞないから時折、川の中を走る。

道いっぱいに広がった牛や羊の放牧にぶつかると、トヨタはバンパーを本当にブチ当てながら進むのであった。

食え、さもなくば死ね

二時間後、バハラムに着いた。西部劇に出てくるメインストリートそのままに、通りはロバと馬と人間で雑然としていた。まだ八時だというのに、すべての屋台や商店が開いている。この町に家があるという運ちゃんは、我々を降ろすと、給油のためとか言って、どこぞに出かけてしまった。荷台と助手席にすべての荷物を積んだまま。

ここまできたら信用するしかない。車から降りるたびに積荷を降ろすなんてことはできんのである。客人に対するイスラムのホスピタリティを信用するしかないのである。あばら家みたいな食堂で、ブタの餌のような朝食モドキを口に入れた。おしぼりらしき臭い布や手を洗うためのブリキの器もあるが、使えばもっと手が汚れるとしか思えない。道にはロバと羊と牛のクソが点々としており、便所は土に穴が開いているだけで、ドアなんぞ、あろうはずもない。これから何日間、この地にいるかわからんが、慣れるしかない。

身体を慣らす以前に体調を崩せばアウトである。マトモな医者はおらんだろうし、病院も薬もないだろう。マラリア、肝炎、細菌性ゲリに襲われ、這々《ほうほう》の体《てい》で逃げ帰った者も少なくない。あるロシア人ジャーナリストなんぞ、突然、盲腸になり、ファイザバードから

車体を牛にブチ当てながら進む。写真右下に写っているのがピックアップトラックの前部

アフガン・メシ。ナンと羊の肉とお茶。牛も沢山いるのだが、出てくるのは羊ばかりであった。

ドシャンベのロシア軍基地まで送ってもらうのに八〇〇ドルも取られたと言う。まぁ、カネで命が助かるなら安いもんなのであるが——。

ただ、この不毛の地で、唯一幸いなのはジャングルがないことである。強烈なオトロしい病原菌はたいがい密林地帯のドブ川にいて、ハエや蚊を媒介《ばいかい》にしているものである。極度に乾燥しているこの地は、カンボジアやモザンビーク、ルワンダなんかよりは、そういったシャレにならん病気に罹《かか》る可能性は低いと思われる。

私は若い頃から、こういった僻地《へきち》や紛争地の、きわめて不潔な環境に慣れてしまったので、身体も心もかなりのことに耐えられる。

だから、私の許《もと》を去っていく女はたいてい「不潔！」と言うのであろうか。東京では清潔にしているのであるが、不思議なことである。

いずれにせよ、このような地に来たら、しょうがないのである。いくらマズそうでも、東京の保健所が見たら卒倒しそうなメシでも、口に入れなければ飢える。飢えたら動けん。動けんかったら仕事がでけん。だから口に入れるのである。

ハエがブンブンだろうが、おっさんがクソを洗い流した手で作ったメシだろうが、食わねばならんのである。東京のクソ生意気な女どもが眉をひそめそうな、ノミやダニの跳ね回る床の上でも、寝なければならんのである。

しかし……、悲しいかな……。アフガン・メシはけっこう私の口に合った。砂と藁の混じったクソ固いパンも、慣れれば塩っ気がきいた歯ごたえのある旨《うま》いパンになった。臭い羊の肉も、よく嚙めば味があった。

パサパサのメシも、肉の汁をかければカレーみたいになる。肉が食えない大倉カメラマンなんぞ、この地に来たら三日で餓死してしまうであろう。

車のスピードがロバと変わらん

メシを食い終わっても、運ちゃんは帰って来なかった。運ちゃんだけなら別に帰って来んでもいいが、車も見えんでのある。信用するしかないとわかっていても怖い。車ごと消えられたら、カメラも機材も、一万ドルの現金も、これからの仕事も、ぜーんぶパーなのである。

こんなときのために雇ったのに、アブドルは市場に出かけてしまっていた。通訳料の一部を前払いしてやったので、早速、買いものに行ったのである。市場を探してみると、古着屋の屋台の前にいた。防寒着をどれにしようかとあれこれ迷っている。後ろから尻を蹴り上げ「とっとと車を探してこい！」と言いつけると、ピューッとどこかに消えた。ファイザバードを我々より後に出た車が次々とバハラムの町に到着しては、ちょいと休憩して出発していく。ＮＨＫ正規部隊のランドクルーザー、ポーランド野郎たちのロシア製ジープ、フランスのＴＶクルー、スペインのＴＶクルーのピックアップトラック、挙げ句は公民館で人当たりのよかったインド人グループまでロシア製ジープでピューッと行ってしまった。

こうなるとパリダカと言うよりチキチキマシン猛レースの世界である。最後にジャボルサラジで笑うのは果たして誰なのか。

不安な、極めて心臓に悪い時間が過ぎていった。待つこと二時間。やっと我々のピックアップトラックが姿を現わした。アブドルはちゃっかり助手席に収まっている。

「こっらあ！　どこ行っとたんじゃあ！」

我々は早速、全財産を確認したあと、アブドルを締め上げた。無口で人相の悪い運ちゃんはこちらをジロッと見ただけであった。

「ベンジン（ガソリン）とタイヤを載せていたのら」

「そんだけで、なんで二時間もかかるんじゃあ！　とっとと出発じゃあ！　ワシらの車がドンケツやないか。今からゴボウ抜きにせんかい！」

「でも、まだスペアのパーツや雪のためのスコップも要《い》るのら……」

結局、我々の車はさらに運ちゃんの自宅に寄り、スコップやロープやパーツを積み込む羽目になった。やっとバハラムの町を出発したのは昼前である。まったくトロいことを――と思っていたが、実はこの準備がいかに大切だったかは読み進めばわかる。

バハラムの町を一歩出ると、それはもう道ではなかった。悪路というレベルではない。川の中も当たり前。ごっつい石をゴロゴロ踏み越えていくのである。おまけにすさまじい砂ボコリで、フロントガラスの視界を奪われる。運ちゃんは窓から顔を出したまま車を転がす。車内はもう砂まみれである。

ファイザバードで買ったムジャヒディン・スカーフというかマフラーが役に立ってきた。口の周りと頭をすっぽり覆ってしまうのである。別にムジャヒディンやＰＬＯのコマンドはカッコつけて、スカーフを巻いているのではない。すさまじい砂埃を防ぐためなのである。

揺れもすさまじい。天井、窓、ウィンドウのピラーに、頭をゴツゴツ打ち、たちまちタンコブだらけである。カメラが、カメラバッグが、ポルターガイスト現象のように宙に浮く。スピードは四駆のローギア、および勢いをつけるためのバックギアのみ。ラジエーターに砂が詰まるため、車は一時間おきに停車し、ボンネットを開けて水を補給しなければならない。

傾斜はもはやシャレにならんくらい急である。もちろんガードレールも道路標識も街灯もなしの一車線というか、轍《わだち》らしいもんもない。対向車はごく稀《まれ》だが、人間をてんこ盛りにしたトラックが現われる。薪やクソを担がされた羊やロバが車の前に大量に飛び出してくる。

目の横は千尋の谷である。車体を斜めにして走る。ズルッとスリップしたら、そのまま何百メートルも谷底に転がってお陀仏《だぶつ》であろう。

タイヤがズルッというたびに我々は悲鳴をあげた。いや、悲鳴をあげると舌を噛んでしまうので、ひたすら手すりにすがりついて呻《うめ》き声をあげていた。東京で買って間もないズボン、シャツやトレーナーの背が擦り切れていく。それでも睡魔が襲ってくるのだが、頭をガツンと天井にぶつけられて目が覚める。

眼下にはすさまじい光景が広がっていた。よくぞまあ、こんなところに人が住んでいるもんである。ロバに乗ったブルカ女が通り過ぎる。車のスピードがロバとほとんど変わらん。日本の山野ならブイブイいわせている高馬力のランクルやパジェロやピックアップトラックが、ロバと変わらんのである。大量の荷物と人間を乗せているとはいえ……。

しかし、スゴイ。よくこんな石の上を走るもんである。東京で四駆を転がしているヤツの気がしれん。トヨタや三菱はアフガンのオフロードのために、このような優秀な４ＷＤ車を作っているのであって、プチブル・ファミリーが河口湖でオートキャンプをするためや、カッコつけてシティロードを転がすためではないのである。

手付かずの自然の恐怖

途中、スペインとフランスのテレビクルーがこのすさまじい道を撮影していた。我ら日本人純正トヨタは、余裕をかましている連中に思っくそ砂埃を浴びせて先を急いだ。これでドンケツを脱出である。本当にチキチキマシン猛レースの様相になってきた。

切り立つ崖の下はミネラルウォーターを流したような川が続く。人がほとんど住んでいないのだから、生活排水も工業排水もない。まったく汚染されていない、これほど完璧な山野、谷、川は、わが故郷の明石川上流でも見られない。必ずどこぞのアホがゴミを捨てるか、ゴルフ場の開発をやらかすのである。

のである。

しかし、まったく人の手が入っていない自然は恐怖である。こんな谷底に転げ落ちたら、絶対に誰も助けに来ないし、助ける手段もなかろう。救助を頼む電話すらない。携帯がないのではない。公衆電話がないのではない。電話という概念、存在がこの地にはないのである。

何もできない、どうしようもないという恐怖。歩きながら携帯で喋りまくっている渋谷のコギャルどもを連れてきたら、一時間もせずに発狂するであろう。いくらゼニがあろうと、どんなコネがあろうと、成り行きに任せるしかない、進むしかない世界なのである。

ガードレールすらない片側やっと一車線の道は、谷底に向かって傾斜がついている。あと一度、あと一〇キロ、重心が下にかかれば転落するであろう。こんな道を、欧米のジャーナリストたち、そして安全第一の日本の大新聞、大通信社の皆様が、よく行こうという気になったもんである。運ちゃんの人相が悪く、無口なわけである。隣の共同通信の二人と話をしようとすると舌を嚙みそうになる。悲鳴すらあげられない。こんなドライブをあと何時間、何日間、続けるのであろうか。考えただけで怖い。

ドシャンベで見たアフガン帰りのドロ人形を思い出した。機材に一センチくらい埃を溜め、皆一様に無口であった。我々もすでにその域に達しつつある。ジャボルサラジに着く頃、私は悟りを開いているかもしれない。最終解脱しているかもしれない。南極では寒々と何もない平面の恐怖であった。ここは三次元の恐怖である。

しかし、こんな道でも、羊やロバを引き連れた遊牧民が歩いている。何でもないような顔をして――。私はあの大国ソ連がなぜアフガンを攻め切れなかったのか、やっと実感した。ソ連を含めた我々文明人にとって身の竦《すく》むような恐怖が、アフガン人には日常なのである。この谷が、この山が、明治通りであり、246なのである。カリーニン大通りと同じ日常なのである。羊を連れて山を越えることは、地下鉄で浜田山から半蔵門まで行くのと同じなのである。

昼メシは通りかかりの土の家、というより馬小屋みたいなところで、羊臭いパサパサメシを手摑みで食っただけである。そのうち、通りがかりの集落、いや人家もまったく見えなくなった。

ポーランド野郎たちの尻拭い

川底を越えるたびに、時間にして三〇分か一時間ごとに、我々のピックアップトラックは停車するようになった。

人相のよくない運ちゃんがボンネットを開ける。川の水を柄杓《ひしやく》ですくい、ラジエーターにぶっかける。エンジンルームからすさまじい水蒸気が立ち昇る。

細かい砂がラジエーターに入り込み、冷却効果が落ちているのかもしれんが、そもそも一五年落ちの盗難車である。ラジエーターも水漏れしているに違いない。しかし、川がなくなったら、どうするつもりなのであろう。荷台にはガソリンのポリタンクは積んではいるが、水はどう見ても積んでいない。この運ちゃんもアブドルも鞄一つ持っていないのである。私のミネラルウォーターを使うことになるのであろうか。

夕方近くなって、ポーランド野郎たちのヤズに追い付いた。パンクして停まっていたのである。これで我々も先頭に近いハズである。（やった！）と思ったら、人相の悪い運ちゃんはピックアップトラックを停めてしまった。そして我々の車からスペアタイヤを降ろし、タイヤ交換を手伝い始めたのである。

「ボケ！　何しとんど？　トットと先、急がんかえ！　誰がゼニ払っとると思っとんじゃ！」

アブドルに怒鳴った私を運ちゃんがジロリと睨《にら》む。ただでさえ人相の悪い運ちゃんがさらに怖い目つきになった。ヤズなんちゅうロシア製ジープを選んだポーランド野郎たちがアホなのである。そのアホの尻拭《しりぬぐ》いを、なんでワシらが雇った運ちゃんがせにゃならんのであろうか。待っている我々の時間は誰が補塡《ほてん》してくれるのであろうか。陽はどんどん傾いていく。我々が今いるのは世界有数の山岳地帯である。ただでさえ日没が早いのである。こんなところで日が暮れたら、どないなる？　考えただけでさらに恐怖が、というより考えたくもない——。

ポーランド野郎たちの車のタイヤはパックリ側面から裂けていた。あんなゴツゴツの岩の上を何時間も走ってきたのである。そりゃあ裂けるわな——などと感心している場合ではなかった。

私はこのとき初めて自分の乗ってきたトヨタのタイヤを覗いて絶句した。ツルツル、ひび割れだらけなのである。こんなタイヤじゃあ、東京の雨道でさえ走れん。このタイヤで目の眩《くら》むような山道を走ってきたんかいな、オトロシイ……。

このタイヤ交換の間にスペイン・チームとフランス・チームが追い越していった。また我々はドンケツである。アホのポーランド野郎とお節介《せつかい》な運ちゃんのために。

タイヤを交換したヤズはよっぽどうれしいのか、勢いよくバックしたとたん、我々のトヨタの右側面にぶつかった。恩を仇《あだ》で返すとはこのことである。まぁ、ロシア製でマトモなのはウォッカとネェちゃんくらいのもんであるが。運ちゃんはヤズを転がしていた若い運ちゃんを激しく罵《のの》った後、良くない人相をいっそう険悪にして運転席に戻った。

もともと両方とも日本の道路ではとても走れないスーパーボロなのである。しかし、これ以後、我々のトヨタは内側からドアが開《あ》かなくなった。まぁ、それまでも窓は開かん閉まらん、特に運転席は開けっ放しである。砂埃は入り放題。すでにシートや床に数ミリの砂が積もっている。いまさらドアが内側から開かなくなったところで騒ぐこともないのである。

しかし、二台に抜かれたのはオモロない。ただでさえ埃っぽいのに、何が悲しくて前の車の砂埃まで被らにゃならんのであろうか。(はよ抜いたらんかい!)とブツブツ心の中で呟いていたら(しゃべると舌を噛む)、次の川底を渡るところでスペイン・チームの車が停まっていた。

運ちゃんたちの序列

ラジエーターに水の補給かいなと思っていたら、ジョージ・クルーニーが降りて来て、なんや珍しく不安そうな顔をしている。コイツはモロ愛人と見られるネェちゃんを連れて

爆弾が野ざらしになっている山岳路を行く。破片
になっていないということは不発か未使用？

お祈りの時間になると、カーペットを敷き、靴を
脱いで。神が与えた休憩時間なのかもしれない。

余裕をかましているが、その女の名をアナという。あまりに単刀直入な名前なので印象に残っている。

このネェちゃんはアナのくせにお高くとまっていて、車外にはなかなか出てこず、いつも車内でタバコをふかしていた。このときも乗ったままである。ちなみに私は写真界のジョージ・クルーニーと呼ばれているのだが——。

事態は深刻であった。エンジン・トラブルである。車ちゅうんは私も転がすが、いったん壊れると、それはそれは厄介《やっかい》なゴミと化す。特にこんな山の中では簡単にゴミになる。

(これで一台抜けるやんけ!)と思っていたら、さにあらず。我々の運ちゃんは、また車を停め、荷台から工具を取り出し、修理を始めたのである。

スペイン・チームの運ちゃんと我々の運ちゃんの態度を見比べると、どうやら我々の運ちゃんのほうが格上である。ポーランド・チームの運ちゃんも、スペイン・チームのこの運ちゃんも、人相の悪い我々の運ちゃんの手下なのではないか——。

スルドい私の頭脳は、言葉のわからないアフガン運ちゃんたちの序列をたちまち見抜いたのであった。人相の悪い運ちゃんはベテランで、オノレの手下どもとコンボイを組んでいるため、他の車を見捨てるわけにはいかんのである。

これは考えようによってはラッキーである。ここまできたら何が怖いといって、タリバンの襲撃より、車両故障のほうがずっと怖い。我々の車が動かなくなることだって充分考えられるのである。

そのとき、手下どもは我々を助けないわけにはいかないであろう。だが、よく考えると、それは近くにいればの話である。ドンケツを走っていてはイカンではないか！

ボンネット内部を覗き込むこと一時間。やっとスペイン・チームの車にブルルンッとエンジンがかかった。もはや日はとっぷり暮れてしまった。暗闇が刻々と広がっていく。明かりがゼロの山の中である。緑もゼロである。何も見えなくなるということは危険が増すということだが、オトロシイ谷底を見なくてすむということでもある。恐ろしいのか、ラッキーなのか、もうよう解らんのであった。

出掛けるときは忘れずに

こういう所でアメックスのカードをなくしたら、いったいどうなるのであろう。以前テレビのＣＭで、探検家やリゾートのブルジョワがカードを海に落としたり、パクられたりして、アメックスの支局か何かに電話したら、営業マンがジープで道なき道を走り、川をカヌーで越え、全速力で新しいカードを届けてハッピーみたいなのがあった。

せっかく向こうから言ってきて入ったアメックスのプラチナカードである。ゴールドカードさえ三歩下がって控える、持っているだけで年間八万円も取られるカードである。今、私がプラチナカードを谷底に落とし、テレ朝から借りてきたインマル電話で東京のアメックス・エマージェンシー・センターかなんかに電話を入れると、いったいどうやって届けてくれるのであろうか。

北部同盟の飛行機はいつ飛ぶかわからん。米軍に空中投下でも頼むのであろうか？　落下傘で営業マンが降りてくるのであろうか？　楽しみである。考えただけでもオモロそうである。いっぺん試しに電話したろか——。

とうとうフロントガラスの向こうが完全な闇に包まれた。巻き上がる砂埃が片目だけのヘッドライトをさえぎって、前がぜんぜん見えない。フロント・ガラスもムチャクチャ汚い。一〇センチ、タイヤをはずしたら、谷底へ真っ逆さまである。新宿の高層ビルにかかったわずか幅一〇センチの平均台の上を走るようなドライブで、フロント・ガラスが見えないのである。

どうしているのかといえば、やっぱり運ちゃんは右側の窓を全開にし、顔を出している。この運ちゃんの視力はどないなっとるんであろう。見えとるんかい、ほんまに？　おそらく夜間視力はサルなみであろう。昼間なら三・〇くらいはある。そういえば、アフガン入りして以来、ガキから老人まで眼鏡をかけたヤツが一人もおらん。目の悪いヤツがいないからなのか、それとも眼鏡屋がいないからなのか。歯抜けは見かけるから、アフガン人も虫歯にはなるのだろうが……。

すでに夜七時を回った。肌を刺すような寒気がドドッと体に当たる。砂埃に加えて闇と寒さである。日が出ているうちはTシャツ一枚で過ごせたのにアッという間に一〇度以下である。いったい、ここの気候はどないなっとるんであろうか。こりゃあ、たまらん。昼間でさえあれだけ悲鳴をあげていたのである。

「おい、こらあ！　アブドル！　次の村までどれくらいや？」

「イエ〜ス！」

「何時間やと聞いとんのじゃあ！」

私はこの日一〇回目の蹴りを助手席のシートに入れた。

「ツー・オクロック」

「二時やと？　あと七時間もかかるんかぁ？　あと二時間やないのかぁ？」

「イエスですら」

「イエスじゃないわい！　あと二時間なんか、七時間なんか、ハッキリ言わんかい！」

結局、アブドルは運ちゃんと何やら話をして「二時間なのら」と答えた。なんでこんな中学生のオツムに一五〇ドルも払わんとイカンのや。なんでこんなヤツに日本人三人の命を預けなイカンのや？　死にそうな二時間が過ぎても、人家らしきものはまったく現われんのであった。

「こっらあ！　二時間経ったやないか！　どこに村があるんじゃい！」

私はほとんどダウンタウンの浜田になっていた。

「町はあったけろ、ホテルがなかったのら」

「ホテルゥ？　この国にホテルがあるんか？　確かにタリバンのおるカブールにはカブール・インターコンチネンタル・ホテルがあるのお。それ以外にホテルがあったとはのお……？　それでホテルのある村まで、あとどれくらいや？」

アブドルはまた運ちゃんと話を始めた。

「あと三時間なのら～」

寒い。猛烈に寒い。いったいここは標高何メートルなんやろ？　ホテルといったって、所詮、昨日の公民館みたいなもんであろう。こんな山奥に電気や水道があるとは思えん。それにアホのアブドルの言うことである。

文明人の来るべきところではない

「プスン！」と景気の悪い音を立てて車が停まった。今日一五〇回目である。またラジエーターに水の補給かいなと前方に目を凝《こ》らすと、ポーランド野郎たちのヤズも停まっていた。ポーランド人は陽気でええのお……。

二人組の一人、ボイテックという年配のほうが、このクソ寒い中、同じ車のギリシア人とダべっていた。もう一人のポーランド野郎はクリスという。なんでこのポーランド野郎たちの名を覚えているかと言えば、そのうちわかる。

よくしゃべるボイテックに対して、クリスは無口で非常に暗い。母国ポーランドの歴史を一身に背負ったような暗さである。その暗いクリスは暗い車の中でボォーッとしていた。

それにしても、ヤズは凄いところに停まっていた。かなりの……、というよりめっちゃ上り急斜面の途中なのである。ほとんどバーチカル・リミットである。車が登れるような斜面とちゃうのである。

五分経っても一〇分経っても動く気配はなかった。何をやっとんど……。運ちゃんが辛抱しきれんとばかり、ヤズのほうにすっ飛んで行った。ライトにボォーっと照らされたヤズは、どうやら、この信じられん急斜面でスタックしたようであった。急斜面だけならまだしも、タイヤの下は人間の頭以上の岩や石がゴロゴロである。車で登ろうとすること自体が無理なのである。

結局、スペイン・チーム、やっとこさ追い付いてきたイタリア・チーム、インド・チームのヤズ二台も我々のケツにひっついたままビタッと動かなくなった。道は車一台がやっと通れる幅である。そのルートですら大きく谷側に傾いている。

とうとう意を決してポーランド・チームのヤズはいったん後方に一メートルほど下がり、勢いをつけて登ろうとした。しかし、ズリズリとスリップばかり繰り返す。これはドえらいことになってきた。今、ここで最も怖いのはオノレの車が動かなくなることだと思っていたが、前を走る車が動かなくなっても同じ運命なのである。

我々はとんでもないところに来てしまった。しかも自らの意志で……。これはとてつもない暴挙ではなかろうか。おそらくアフガンは人間が住んでいる土地で一番原始的な所であろう。下手したらアフリカの奥地、ニューギニアの首狩り族の村より原始的かもしれない。最近はそうした村にも文明の波が押し寄せて、Tシャツに靴履きの原住民がおるではないか。

ここは文明にドップリ浸った人間が来るべき所ではないのである。アフガンの連中は新聞もTVも観たことがない。我々が荷台に積み上げたハイテクの固まりなんぞ、想像もつかないであろう。電車にも地下鉄にも乗ったことがない。この山中を縫う岩だらけの道こそが彼らの首都高速なのである。だから運ちゃんもアブドルも荷物一つさえ持たぬ身軽さなのである。

前の車が動かなくなったら、しゃあない。この山の中で何時間も待つ。それが当たり前の土地だったのである。後方にはどんどん車が溜まりだした。さすがインド人が乗るヤズは貧乏国らしく、車から出ずにおとなしく待っているようであった。

しびれを切らした他の運ちゃんたちがゾロゾロ助っ人に加わりだした。どうせ手伝うならチャチャッとやったらんかい！

まずは急勾配の道の整地である。でかい岩をゴロゴロ動かす。一旦、車を後退させ、再び4WDのローギアを使ってフルスロットルで登ろうとする。

「みんな車から降りて、坂の上まで歩いて登るのら」

スタックしていた車のところからアブドルが走ってきて叫んだ。理由は聞かんでもわかる。そのままヤズがズルズルドドーン！とスリップしてきたら、坂の下の車はおろか、外におる我々も跳ね飛ばされて谷底行きである。

ヤズは他人の迷惑を顧《かえり》みず、何度かズルズルやった挙げ句、やっと急勾配を登り切った。我々のピックアップトラックも荷台の重さにもかかわらず、ゼエゼエいいながらも登り切る。後続の車も次々と無事、登り切った。こりゃあ……、いったい、いつになったら着くのやろ？　隣の村どころか、朝になっても人家が見えるかどうか……。

「我々は君らを助けようがないんだ！」

私の不安はモロ的中した。走り出して一時間もしたら、またポーランド・チームのヤズがピタッと停まってしまったのである。

本当にこのヤズはお荷物である。パンクして我々のスペアタイヤを履くワ、我々のピックアップトラックにはぶつけるワ、坂は登れんワ……。

ヘッドライトに浮かび上がったのは、ヤズの傍にボォーっと立つポーランド野郎の片割れボイテックとギリシア野郎であった。マル運（運転手）のニィちゃんはヤズのボンネットを開け、エンジンルームと格闘中であった。

寒い……。車内もええかげん寒かったが、外はもっと寒い。ヤズが道を塞《ふさ》いでいる以上、我々も前に進めない。ここまできたら皆、運命共同体なのである。エライことになっとるのはボイテックの顔を一目見てわかった。

「またトラブルか？」

「おー！　トラブルもトラブル、大トラブル、エンジンもミッションもガタガタボロボロ、パー！　再起不能！」

「It doesn't work any more（再起不能）?」

オイオイ、どないすんのやあ……、原田カメラマンと顔を見合わせた。

「おおおー寒むう……」

原田カメラマンも首をすくめた。我々はとてつもない過《あやま》ちを犯したと感付きはじめていた。こんなところをタリバンに襲われ、川に放り込まれたら、永久に死体も見つからないであろう。ここは月面と同じなのである。ここまで来てしまったら、もうどうしようもないのだけれど……。

有田記者はよっぽど楽天家なのか、車を降りてジーパンのポケットに両手を突っ込み、道端の小石を気持ちよさそうに蹴っていた。さすが子どもが生まれたばかりの男は強い。やっぱり家族は仕事の励みになるっちゅうのは本当なんやろか。原田カメラマンにも一応、嫁さんはいるが、後継ぎはまだである。私にいたっては畑もまだ決めていない。

もう一人、とてつもない楽天家がいた。ポーランド・チームの片割れクリスである。コイツはウンともスンともいわなくなったヤズの中でカァーッと鼾《いびき》をかいていた。この状況で何の不安も抱かず、ただ運命に身を任せ、気持ちよさそうに寝ているのである。脳ミソが腐っているのかもしれんが、やはりカメラマンはこうでなくてはいけない。

また後続車が次々と追い着いてきて停まる。降り立った連中がヤズに駆け寄ってはボイテックの説明を聞き、頭を抱えた。もはやポーランド・チームだけの問題ではないのである。スペイン人の背の高いカメラマンがボイテックに詰め寄った。

「いいか、こんなところで我々は立ち往生できないんだ。わかるだろう。もうどうしようもない。我々は君らを助けようがないんだ！」

「わかってるよ。君らの助けはいらないよ」

ボイテックはうるさいハエを追い払うように吐き捨てた。スペイン人の言うとおりである。こんなガソリン・スタンドもJAFもない国で、ロシア製の車の修理なんぞやりようがない。スペイン人はやおら道端の石コロを蹴り飛ばした。そしてかなりデカイ石をうんこらしょと転がして川に落とした。

「これでよしと……、おいちょっと道を空けてくれ！」

私にそう言い残して後ろに停めていた自分の車に帰るやいなや、ブォンブォンとエンジンを蒸《ふ》かし、川縁《かわっぷち》ギリギリに坂を登りだした。なんや？　横をすり抜けられるんか？　暗闇で下が見えないために恐怖感が沸かないのであろうか。たしかに、ここは今まで通ってきた道よりわずかに平坦なのだが——

目を点にしている我々に排気ガスを頭から浴びせ、スペイン・チームのピックアップトラックが暗闇に消えた。口の中がジャリジャリするのを感じて、私は唾を吐き捨てた。暗くてわからないが、夜でも砂埃はすさまじいのであろう。明朝、我々の全身はどうなっているのであろうか。再び谷に静寂が戻った。

「どうする？」

「どうするったって……、まあ、インド人の車にでも乗せてもらうか……」

ボイテックとギリシア人がまだノー天気に立ち話を始めたとき、またブォンブォンとすさまじいエンジン音が上がった。そして二台のヤズが我々のピックアップトラックとポーランド・チームのヤズに砂埃を浴びせ、暗闇に消えていった。

「今の、インド人の車じゃなかったか？」

ボイテックとギリシア人が顔を見合わせた。ポーランドとインドはお互い貧乏国同士、わかり合える、助け合えるなんて、本当に考えていたとしたら大甘である。インドは隣国パキスタン、中国と仲が悪い。パキスタンはいまやタリバンの唯一のスポンサーで、北部同盟と敵対している。敵の敵は味方とばかり、インドは北部同盟に武器を援助しているため、インド人ジャーナリストはここらではブイブイいわせているのである。

ボイテックの最後の切り札はこうして闇に消えた。我々の後ろのピックアップトラックなど数台もエンジン音を響かせ、追い越して行った。残ったのはポーランド・チームの動かなくなったヤズと我々のピックアップトラックだけである。

やってはいけないこと

ジャーナリストはみんな協調性があり、博愛主義で正義感があってやさしい……なんてことは「Welcome to Sarajevo」の映画の中だけの話である。事実はその正反対である。そうでなければ生き残れないからである。

我々は地元のアフガン人とは違う。各々が本国から大金を持たせられ、その看板とミッションを背負っているのである。そのために車と運転手にこの国では暴利とも言うべき大金を払っているのである。もしカメラマンになるための国家試験があるなら、こういうケースはさっさとポーランド・チームを見捨てたスペイン人やインド人が○（正解）で、今の我々は×（やってはいけないこと）である。

ボイテックもそれを思っていたであろう。さっきよりいっそう冷たい風が私とボイテックの間を流れていた。シラけたというより、かなりシビアな空気である。耳に入るのは風の音と遥か下の谷底を流れる清流の音だけ。目に入るのはすさまじい数の星の明かり。まるでザルで太陽を覗いているようである。

今、我々の周囲には砂と石と岩しかない。もちろん荷台にはドシャンベで買い込んだ非常食がある。こんなこともあろうかと寝袋、テント、コンロ、ランタンまで東京から運んできた。しかし、我々はこのヒンズークシュ山系に野営をしに来たのではない。そんなもんはアルピニストの仕事である。我々の仕事はここからジャボルサラジに着いてからなのである。

ポーランド・チームの車を捨てるのは論外である。ヤズに満載の荷物はとても我々のピックアップトラックには載らない。走らせるしかないのである。

我らの運ちゃんがブーブー文句をたれながら、ヤズの若いマル運から工具を奪い取り、車体の下に潜り込んだ。我らの運ちゃんもサンザンである。

「マジでどうする？」

「助けてもらうしかないか……」

ピックアップトラックの中でボーッとしているアホ通訳を、私は車から引きずり下ろした。

「おい！　次の村までどれくらいや？」

「イエ〜ス！　一時間か二時間ですら」

「一時間と二時間ではドえらい違いやぞ」

「わからんですら」

私はボイテックに向き直った。

「こうなったらしゃあない。次の村まで我々が先に行って、そこで車を見つけて、ここまで引っ張ってくる。それに乗り換えるしかないな」

「行って一時間。帰って二時間か……。車がすぐに見つかった場合でか……」

次の村で車が見つかる可能性が限りなくゼロに近いであろう。それはここにいる全員が知っていた。

「うまくいって二時間、下手したら四時間。最悪なら朝までか……」

「それまで何する？」

陽気なギリシア人がボイテックの顔を覗き込んだ。

「歌でも歌え！」

吐き捨てるように言って、ボイテックはなんやようわからんポーランド民謡を歌いだした。ヒンズークシュの山間に悲しい歌声がこだまする。

「修理はもうすぐ終わるですら～」

「なっ、なにーっ！」

我々が顔を見合わせたと同時に人相の悪い運ちゃんがヤズの底から這《は》い出してきた。

「もうだいじょうぶですら」

すごい……、頼りになるヤツである。東京に連れてきても間違いなく一級車両整備士になれる。こんなクソ山奥で、怪しい工具で……、よくもまあ……。おそらく運ちゃんが潜っていたところからしてメインシャフトをいじったのであろう。若い運ちゃんがイグニッションを回した。キュルキュルキュル……。セルが頼りない音を出して回りだした。不安な時である。

ブルン！　ヤズが一瞬震えてエギゾーストから煙を吐き出した。

「ヨッシャ！」

さっきまで子羊のように震えていたポーランド野郎たちは勢いよくヤズに飛び込み、走り去って行った。

「やれやれ……、行きますか、私らも」

我々の無口な運ちゃんも運転席に戻り、トヨタのエンジンをかけた。もう誰も口を開く者はいない。またすさまじい揺れである。ボクサーがパンチドランカーになるのもわかる。私の脳味噌も揺さぶられ続けて縮んでしまったのであろうか。なーんも考えることができない。あと何時間走り続けるのであろう。アホ通訳は一時間と言ったけど……。今や我々の後ろには誰もいない。

ボクの前に道はない。ボクの後ろに道もできない。

高村光太郎もええかげんな詩を作ったもんである。ここで我々の車が故障したら、どないなるんやろ？　この恐怖はタリバンがオトロシイというレベルではない。もう後ろには誰もおらんのである。ポーランド・チームも、先に行ってしまうとは冷たいやないか――。

谷底からゾンビ

ヘッドライトに先を行く車が浮かび上がった。停まっている。突然、こちらに駆け寄ってくる人影が浮かんだ。さっきの背の高いスペイン人カメラマンである。

（あれ、ポーランド野郎たちじゃないのか？）

連中のヤズは調子に乗って追い越して行ったのであろうか。それにしてもスペイン人はただならぬ様子である。有田記者が開かない窓越しに尋ねた。

「どしたの？」

「た、た、助けてくれ！　事故だ」

「エエエエ〜！」

何でもありや。天は何故《なにゆえ》に苦難のフルコースを与えたもうか。五人は同時に車を飛び出した。事故ったって、信号も交差点もないんやから、落ちるしか……。

「ど、どこ？」

「こ、こっち」

スペイン人のあとを駆け出した。足元をマグライトで照らし、一〇メートルも駆け出すと、何か……、聞こえる。悲鳴や！　それも人間の……。

「うーん？　下や！」

恐る恐る谷にマグライトを向ける。

「………」

声も出ない。そこは地獄であった。さっきルンルンで走り出したポーランド・チームのヤズが浮かび上がった。光量のないマグライトで二〇メートル先の谷底をなめただけで、ただならぬ事態なのがわかった。横転している。ただひっくり返っているのではない。谷底を流れる川に沈んで、である。

「た、た、助けて！」

悲鳴は谷底からであった。乗っていた人間がまさにヤズから這《は》い出しているところであった。

「あ、あかんわ……、何人か死んどる、これ」

足元から石が転げる音がしてギョッとなる。一歩身を引いて目を凝《こ》らすと、顔から血を流したクリスが崖を這い上がろうとしていた。文字どおり地獄の底から甦《よみがえ》ったゾンビである。

「ク、クリス……、だいじょうぶか？　怪我は？」

愚問であった。マグライトで照らすとクリスは全身びっしょり、顔に髪がへばりつき、本当に幽霊のようである。

「荷物を！　早くしないと川に流されてしまう」

そのときボイテックが荷物を抱えて這い上がってきた。

「まだある。手伝ってくれ」

手伝うったって……。この真っ暗な中、この崖を下りるのか？　ワシが……？

エエイ！　しゃあない！　皆が崖から谷川まで滑り降り、担《かつ》げるだけ担いで崖を這い上がる。繰り返すこと数度、河原に散乱していた荷物だけは道まで引きずりあげた。荷物だけは、である。ヤズは左側をすっぽり川底に沈めて横転している。この車を引き上げるのは……、引き上げたとしても再び走らせることは……。そうなると……。

カメラを失くしたカメラマン

クリスが真っ青な顔ですさまじく震えている。想像を絶する恐怖であったことは容易に想像がつく。足元を見ると、岩の間にできていた轍《わだち》らしきものがごっそり崩れて谷に落ちていた。ヤズはここでハンドル操作を誤り、バランスを崩したのである。そして何回転もして崖を転がり落ち、谷底の川に鎮座したのであろう。

乗っていたクリスたちは、さっきまでの私のようにボォーっと暗闇を見つづけるか、ウトウトしていたに違いない。そして突然回転しながら転落していった――。シートベルトなんぞ、初めから付いていないロシア製のふるーいヤズである。人間も荷物も宙を舞ったであろう。そして、やっと止まった次の瞬間、車内にはすさまじい勢いで水が流れ込んできたに違いない。手の切れるような冷水が、暗闇の中で、である。

クリスたちは、どっちが上か下かもわからず、右も左もわからず、どうやって脱出したかも覚えておるまい。下になったヤツは相当水を飲んだであろう。真っ青なクリスは歯をガチガチ鳴らしている。と思ったら、ガバッと私の肩を摑んだ。

「荷物は?」

「全部ではないが、うちの車の荷台に、運ちゃんがロープで縛っとったけど……」

「ド、ドンケ、オレのドンケバッグ（カメラバッグ）は？」

クリスも同業だから、命の次に大事なものを本能的に知っている。

「ああ……、あったよ。うちの車に積んだ」

「ど、どこに……」

ドドドドドッ……と駆け寄るクリスをとても見ておれなかった。クリスのドンケを荷台に積んだのは私である。水浸しのうえに砂がびっしりまとわりついて黒いハズが黄色になっていた。そして大きさのわりに異常に重かった。中なんぞ見るまでもない。水が滴《したた》り落ちていた。完全に水没していたのである。カメラバッグを開けたクリスの絶望は察して余りある。カメラマンが手ぶらで仕事場へ向かわなければならなくなったのである。

「デジタルカメラ……、コンピュータも……、サテライト・フォンも……」

泣き崩れるクリスにかける言葉もない。

「バカ！　もう考えるな。怪我は？　よかったじゃないか、生きてるんだ。落ち着け。旅券はどうだ？　キャッシュは？」

叱りつけていたのは同じヤズに乗っていたギリシア人であった。こいつはスパルタの末裔であろう。クリスがポケットをまさぐった。

「オレのパスポート……」

首から下げるケースからびしょ濡れのポーランドの旅券が出てきた。

「明日晴れたら乾かしゃあいい！」

「クレジットカード……」

財布からクレジットカードが出てきた。しかし、この土地でプラスチックの板なんぞ、屁のつっぱりにもならない。

「現金……」

ズボンの裾をたくし上げ、靴下を捲《めく》るとグリーンペーパー（米ドル札）がボロボロ出てきた。

「よかったじゃあねぇか。さあ、服を脱げ。オレの着替えの鞄が濡れていなかったんだ。早くしろ。こんなところで風邪をひいても医者は来てくれねぇぞ」

「うん、うん」

クリスは半べそで勢いよく服を脱ぎだした。歯がまだガチガチ鳴っている。我々の車のヘッドライトがクリスの白い裸を浮かび上がらせた。シュールである。

「ホレ！　こりゃ、おまえツイてる。イタリー製のブランニューシャツだ。さあ、これ着ろ。パンツもソックスも洗濯したてだ」

地獄の酒盛り

もはや羞恥心も浮かばないのであろう。濃紺のブリーフを脱ぎ捨てて着替えを始めた。

「ホレ！　ズボンはちょいと短いかもな！　ガールもいねぇんだから気にするな」

ギリシア人はまるで泣く子をあやすようにクリスを落ち着けていた。たいしたヤツである。

「こうなったら、命があっただけありがたいと思え」

ギリシア人ニィちゃんはなけなしの着替えをクリスにくれてやっていた。このニィちゃんも落ち着いているように見えて、もうヤケクソなのである。

「おっ、いいもん見つけたぜ」

ギリシア人ニィちゃんが鞄から取り出したのはフラスク（酒を容れる金属製の水筒）であった。ギュルギュルと栓をひねってグビッと一口つけた。

「ウィーッ！　あったまるぜ！　クリス、おめえもやってみろ！」

「ううう……」

まだ震えているクリスは水筒をひったくってグビッと呷《あお》った。唇の端から褐色の液体がツツッと漏れている。

「ウイーッ！」

「どうだ。あったまったか？」

「うん、うん」

頷くクリスはまだ震えていた。さもありなん。まるで悪夢である。

ギリシア人ニィちゃんがフラスクを放ってよこした。

「日本人！　まだ残ってるぜ。やるか？」

「ありがたい！」

遠慮している場合ではない。私も勢いよく栓をひねり一気に呷った。

「ウィーッ！　うまい！」

スコッチであった。すごい酒盛りである。それにしても、アフガンに酒を持ち込むとは悪いヤツである。タリバンにでも見つかったら間違いなく逮捕、悪くすれば射殺。北部同盟だって酒は御法度《ごはっと》である。酒好きの私ですら一滴も持ち込んでいないのである。この地に酒を持ち込むのは、日本にシャブを持ち込むのと同じくらいシャレにならんのである。

クリスとボイテックがポーランド語で激しく言い合っているのが聞こえたかと思うと、ボイテックがズボンを脱ぎ出した。

「またまた……、どないしたんや？」

クリスの手を振り払ったボイテックが川に入って行った。まだ見つからない機材を探すというのであった。

「バカ！　もう諦めろ！」

見つかっても水浸しである。間違いなく再起不能である。ドシャンベのアフガン大使館前、タクシーの後部座席に寝そべって本を読んでいたクリス。私と同じようにAPTNの甘言に乗せられ、町をうろついたボイテック。あのとき予想もできなかった展開である。ボイテックはブリーフ一丁で、この寒さの中、しかも手の切れる冷水の中、川の流れに逆らってビデオフォンを捜し求めていた。

地獄であった。まだファイザバードを出発して初日だというのに、車一台が谷底の錆《さび》になった。二つのチームが撮影機材を失った。我々はジャボルサラジまで辿り着けるのであろうか。

第5章　サルに麻薬、サルに武器

——ヒンズークシュ山中の北部同盟兵士たち

カメラ背にして道なき道を
行けば戦野は砂嵐
ホテルホテルを信じて聞けば
アホを言うなとまた進む
谷の深さのオトロシさ

不肖

「日本車にしとけばよかった」

結局、ポーランド隊のヤズに乗っていたクリスら二人のポーランド人とギリシャ人一人、そしてその全荷物は他の車に分乗することになった。我々のピックアップトラックに乗り込んできたのはクリスである。もちろん断われるハズもなく、ボケ通訳と一緒に助手席に座った。

ただでさえシフトチェンジがややこしいというのに、助手席に二人も乗られて、運ちゃんも困っているだろうなんて思っていたら、そうでもないらしい。定員どころか道路交通法もない土地である。この車に六人なんてカワイイもんなのである。

車が動き出したというのに、皆、口を開く気力も残っていない。キツイ助手席でクリスがゴソゴソ動いている。でっかいポーランド人とアホ通訳がケツをひっつけているうえに、すさまじく揺れているのである。それに体がまだ濡れていて痒いのであろう。

「ホレ！」

私は胸ポケットに差していたマグライトを後ろからクリスの膝元に落とした。

「Take it（持っていけ）。オレはまだ二つ持っているから」

「サンキュー」

消え入りそうな声であった。辛いドライブも、先に希望があるから我慢できる。クリスはその希望さえなくなったのである。クリスとボイテックは所属する新聞社から盛大な見送りを受けたことであろう。おそらくポーランドのメディアでは初めてのアフガン入りだったに違いない。社名と国の名誉を背負い、ドシャンベであれほど待ち、やっとこの地にやって来たというのに、このザマなのである。

「初めから日本車にしとけばよかった……」

トヨタの奥田社長が聞いたら、泣いて喜ぶであろう。アホ通訳がコイていた一時間はとっくに過ぎた。もう助手席を蹴り上げる気力もない。ウトウトしかけた頃、やっと車は停まった。

「ここ……、どこや？」

原田カメラマンも有田記者もウトウトしていたのであろう。三人で顔を見合わせた。

「村なのら〜」

有田記者は記者らしく、アホ通訳に町の名を聞き出そうとしていた。

「ホテルもあるのら」

「おっ……、そうか。どうせ期待してへんけど、よし！　案内せい」

勢いよく車外に出て伸びをした。真っ暗な中になんや小屋みたいなのが並んでいるのはかすかにわかるけど……。イヤーな予感がしてきた。

「こっちなのら」

「おいおい！　こっちには馬小屋しか……」

アホ通訳は馬小屋の木製のドアを押し開けようとしたが、鍵がかかっていた。

「おかしいのら」

馬小屋のドアを次々と移動しながら、やっと鍵がかかっていないドアを押し開けた。

「あ、あったかい……」

ムアッとした暖気とくっさい匂いが鼻をついたと同時に、床がゴソゴソと一斉に動く気配がしてギョッと身を引いた。マグライトで中を照らして身が竦《すく》んだ。暖かかったのは中で焚《た》かれていた薪ストーブのせいで、匂いは床一面に寝ていた人間の体臭であった。

「お……、おい！　ホテルって？」

「いっぱいなのら〜」

「見たらわかるわい！」

アカン。我々が寝転ぶスペースなんぞ一〇センチもない。もう、怒鳴る気力も残っていなかった。

「あっ、隣は空いているのら」

今度はさっきの部屋とは違い、冷気が漂《ただよ》っていた。先に辿り着いていたコンボイの白人たちが寝袋の中から私のマグライトに顔を向けた。

「眩《まぶ》しいぞ！」

こ、こ、これは……。床は石こそないが土のまんま……。そこかしこに藁《わら》が散乱している。これはホンマの馬小屋やないか。私は思わず後ろ手でドアを閉めた。

「どう？」

荷台から毛布を引っ張り出してきた原田カメラマンが眠そうに、それでも不安モロ出しに尋ねた。私はプルプルと首を振った。

「ホテルなんてもんやない。馬小屋に、通りがかりの人間が勝手に寝とるだけや」

しかし、このまま車を進めることはもはや選択肢にない。それは車の孤立、万一のときは一〇〇パーセントの死を意味する。馬小屋に泊まるかどうかは別にして、人間が集っているここで朝を待つしかないのである。人相の悪い運ちゃんの表情がさらに険しくなっている。いくら現地人でも、もうシャレにならんハズである。行けと言えば行くかもしれんが、その体力が残っているのは、運ちゃんとアホ通訳だけである。

人間性が変わるとき

馬小屋を覗いてきた原田カメラマンと有田記者が戻ってきた。そして再び毛布を摑んで馬小屋に入ろうとした。

「おい！　どないするんや？」

「どうもこうもないでしょ。もう覚悟は決めましたよ」

「……、さよか……」

どうしようもない。それは私にもわかっている。わかっているが……。そもそも、この地に足を踏み入れたのが間違いだったのである。シャレにならん行程になるのは初めからわかっていたことやないか。しかし、ここまでとは……。

私はすでに四〇歳である。原田カメラマンも有田記者も私より若い。私はこの瞬間、自分自身の限界を悟ったのであった。

もう充分や……。何のために、誰のために、こんな地の果てまで来てしもたんや。アルカイダがニューヨークの世界貿易センタービルに突っ込まんかったら、今ごろ私は東京の小汚いバーでウォッカをチビチビやっとったハズである。小便がしたくなったらトイレに行き、水を流し、手を洗い、清潔なタオルで拭く。そして横に座っている女をいかにして手ゴメにするかで頭をいっぱいにする。そんな当たり前の生活が、すさまじいインフラ設備に保証されているのを知った。それが、どれほど貴重なものかがわかった。

この仕事を終えたら、やっぱり引退しよう。もうシャバの人間の一生涯の何倍もの経験をした。何日か後、いや何週間か後、あのときは辛《つら》かったと笑い話で済むように、もう帰ろう――。

再び馬小屋の扉を開けると、原田カメラマンと有田記者が火は消えたものの、まだ充分に暖かい薪ストーブの側のわずかなスペースをこじあけていた。

スゴイ！　人間、疲労の限界を超えると人間性が変わるのである。ペルーの日本大使公邸人質事件で名を上げ、初めからプッツンしている原田カメラマンは別として、有田記者はモスクワではネクタイをキチッと絞め、メタルフレームのメガネが似合うインテリ記者であった。こんな所に来るより暖房のきいた共同通信モスクワ支局で新聞や資料を分析し、記事を仕上げるタイプだと思っていた。そういう人間が、今、アフガン人を蹴り上げ、オノレの寝るスペースを必死で確保しようとしているのである。

共同通信の悲劇は、アフガン入りなんぞ露とも考えていなかった及川記者を、開戦早々にアフガン奥地にまで送り込んでしまったことである。大東亜戦争開戦早々、南北の仏印、印度支那の油田地帯を占領してしまった日本軍みたいなもんである。

私と同じようにパキスタンにいきなり飛ばされた原田カメラマンは、イスラマバード、カラチ、ドバイ、フランクフルト、モスクワ、ドシャンベと、とてつもない遠回りをして、ようやくこの馬小屋に辿り着いた。これは夏装備のまま冬山を登り始めてしまったようなもんである。

私はまだラッキーであった。自衛隊の艦船がインド洋に派遣されるというガセネタを摑まされたおかげで、一度、日本に帰国できたのである。そしてアフガンに関する情報を仕入れ、準備をすることができた。

国土のほとんどが高地であること。首都カブールでさえ二〇〇〇メートル弱の高地にあり、特に今いる北部は四～五〇〇〇メートル級の山が聳え立つアルピニストの世界であり、十月には雪が降りはじめること。砂漠の国のくせに雪が降るのである。そしてインフラがあてにならないこと……。だから野営道具、テント、冬用シュラフ（寝袋）、コンロ、ランタンまで高い超過料金を払い、ヒーヒー言ってここまで持ってきたのである。

しかし、原田カメラマンと有田記者が手にしているのはドシャンベのホテル・タジキスタンからガメてきた毛布一枚である。その毛布にくるまってアフガンの大地に寝っ転がり、朝を待つしかないのである。よう考えたら晩メシも口に入れていなかった。

「メシどないする？」

「今日は寝ましょう！」

「さよか……」

「どないする？　テント持ってきたけど、張るか？」

「時間がありませんよ……」

「さよか……」

共同通信のお二人は瞼を閉じるなり寝息を立てた。私はマグライトのスイッチを切って表に出た。ハンパやない寒さである。頬を切るようなすさまじい風が吹き出した。他人の心配をしとる場合ではない。私も立っているのが精一杯である。

いつでも、どこでも、誰とでも

ピックアップトラックの荷台は宝の山である。その中に現金もあれば、カメラもあれば、インマルもある。二人はそんな荷台の心配すら、もはやできないのである。この二四時間はすさまじかった。東京の三年分の疲労が一気にきたような気分である。私も野営道具一式の入ったリュックを荷台から引きずり出した。

「ダンナはどうするのら?」

荷台の横にアホ通訳のマヌケ面が突き出された。ここがホテルか? 白いシーツとトイレはどこにあるんや? 思いっきり怒鳴り上げる気力もない。もとよりコイツが悪いのではない。アホなのは確かだが、ここに来てしまった私が悪いのである。

「ワシは大丈夫や。外で寝る」

「外は寒くて死んでしまうのら」

「心配ない。スリーピングバッグ（寝袋）がある」

クリスが夢遊病者のように隣の馬小屋に入って行った。手ぶらで――。クリスの落胆と精神的疲労は私の比ではあるまい。もはや死んだも同然である。同僚のボイテックと気のいいギリシア人も、この渓谷のどこかで息を潜《ひそ》めているハズである。それを確かめる術《すべ》すらないが――。

今朝、元気よくファイザバードを出発したコンボイの中で、いったい何台がここまで辿り着いたのであろうか。ここより先に進んで三ツ星ホテルくらいに辿り着いた車があるのであろうか。いや……、ないだろう。今ここで五体満足でいること自体が超ラッキーなのである。

リュックを持ち上げるのに息が上がる。いったいここは標高何メートルや？　二〇〇〇メートルのわけない。三〇〇〇メートルは越えているのであろう。

ズルズルとリュックを馬小屋まで引き摺っていき、そこで私は力尽きた。強がったところで、もはやこれまでである。今まですさまじいところで寝てきた。カンボジア、モザンビーク、ゴマでもテント生活をした。南極では雪上車で寝た。しかし、このアフガンの山の中で野営するとは思わなかった。こんな仕事は四十路《よそじ》のオッサンの仕事ではない。二十歳くらいのバックパッカーがやればいいのである。早く国に帰りたい……。

馬小屋の軒下はさすがに寒い。しかし、かろうじて汚いゴザが敷いてあった。気温は外気温と同じだが風は凌《しの》げた。テントを張る体力も缶詰を開ける気力もない。私はかろうじて寝袋を引っ張り出した。震災直後の厳寒の神戸は王子動物園でも、これにくるまって寝た。そもそも南極で使うためにわざわざイシイスポーツで買った厳寒用寝袋である。私は南極大陸で暖房を切った雪上車の中で三週間以上寝た。マイナス三〇度の中で、である。

それでも死なななかった。

もはやこれまでである。寝袋を広げると羽毛が空気を吸い込んでボワッと広がった。地面もゴツゴツ小石が背中に当たった。体じゅう埃まみれである。せめてお茶一杯、手くらい洗って寝床に入りたかったもんである。

クリスとアホ通訳が隣の馬小屋から出たかと思うと、薪を見つけてきて再び小屋に入った。毛布も寝袋もない二人は、あの薪で暖をとって夜の寒さを凌ぐのであろう。

コンボイの他の車がまたここに辿り着いたのであろうか。エンジンの音が近づいてきて止まった。誰かが私の隣に寝袋を広げるのが雰囲気でわかった。腹が減ろうが寒かろうが、たとえクソにまみれていようが、人間は疲れるとスコンと寝てしまうものである。いつでも・どこでも・誰とでも……、私は自分の特技に感謝しながら一分で深い眠りに落ちたのであった。

もっと光を！

人の話声と足音で目が覚めた。さすが地べたに寝ると足音が響くもんである。真っ暗だった世界が明るくなり始める。寝袋から這い出ようとして、あまりの寒さにもう一度寝袋に戻った。しかし、気力は回復していた。明るいというのは、太陽の光とは、これほど人間を元気にするものであろうか。闇はあれほど人間を弱気にしたというのに。「もっと光を……」とはゲーテもエエことを言ったもんである。

夜明けにはまだ時間があったが、かろうじて外の世界は見えた。道の両側には薪でできたような馬小屋が五、六軒続き、そのどれも入口に南京錠がかかっていた。ピックアップトラック四台とトラック一台が停まっていた。

思いっきり根性を振り絞って寝袋から出た。上着も靴もリュックのそばに埃まみれで転がっていた。馬小屋の軒下を出て、明るくなりつつある東の空を見上げて絶句した。すさまじい山々が周りを囲んでいた。昨日の朝も山を見上げたが、それよりはるかに高い。オトロシイほどの、雲を突く山々である。

夜明けが近いのに誘われて、皆、ゾロゾロ馬小屋から這い出てきた。こんな状況下にもかかわらず、熟睡したのか、動きが機敏である。そうであった。なるべく太陽が出ている間に一メートルでも先に進まねばならん。こんなクソ馬小屋に何の未練もない。原田カメラマンも有田記者も伸びをしながら這い出てきた。

「寒いけど……、空気もうまいし、気持ちいい朝ですなあ……」

そういえば、昨夜はスコッチをすこっち飲んだだけである。その前の晩はまったく飲まずに寝た。アルコールが体から抜けた朝というのはこれほど快適なのであろうか。原田カメラマンがビスケットをボリボリかじりながら、毛布をトヨタに積み込んでいる。髭がビスケットのクズにまみれて、いかにも汚らしい面《つら》だが元気そうである。

たった一人、ドヨ～ンと落ち込んだ男も出てきた。クリスである。荷物が極めて少なくなったクリスは、早速、暖をとるため車内に潜り込んだ。

太陽が昇り出し、我々のいる谷を金色に染めはじめた。こんな環境下でなければ、この壮大な光景をもっと楽しめたというのに……。昨夜は暗くてさっぱりわからんかったけど、馬小屋のそばに川が流れていた。耳を澄ませばサラサラ心地よい音も聞こえてきた。しかし、このクソ寒い中、顔を洗う気にはなれない。どうせ五分後には全身に五ミリもの砂埃が積もるのである。

荷造りの終わった車から次々とエンジンがかかった。また長い一日が始まる。車は四台に減っていた。ジョージ・クルーニー似のスペイン人一派もここまで辿り着いていたが、さすがにラテンのノリが消え失せている。

「ヨオッ！　ミヤヒマ！」

アホ通訳の言うホテル。「いつでも、どこでも、
誰とでも」が特技でよかった。

夜が明けると周囲は切り立った山々。元気にはな
ったけど、あんな所を越えて行くんか──。

ドシャンべでくれてやった名刺の名をやっと覚えたようであった。スペイン語でJはHである。フリオ・イグレシアスもスペルはJULIOである。英語読みではジュリオとなる。このスペイン人もジョンと自分で言っていたが、スペイン語読みではホアンとかになるハズである。ジョンはしきりに背中や腰をクキクキしていた。

「どないした？　小石でも背中に当たったか？」

「ミヤヒマはどこで寝た？」

私は馬小屋の軒先を指差した。

「ユーはガッツあるな。スペイン人は文明人だからな。アナと一緒にこの車の中で寝たぜ！」

「それで、どないやった？　快適やったか？」

「そんなわけねえだろ！」

それで腰をクキクキやっていたのである。ジョンの女のアナは、もう発狂寸前のボロボロの顔であった。みんな、アフガン二日目の朝を迎えたばかりでこのザマである。

私はこのとき、マスードと行動をともにして二〇年間も写真を撮り続けたという長倉洋海カメラマンを本当に尊敬した。ゲリラ行動中も一緒にいたのである。車にすら乗れなかったであろうに――。

ヒンズークシュ山中で空中浮揚

原田カメラマン、有田記者、アホ通訳、クリスの全員が乗り込んだ。運ちゃんは今日も怖い顔をして車の整備に余念がなかった。腰をクキクキすることもなく、シートを拭いていた雑巾をパンッとはたくと勢いよく運転席に乗り込んだ。

動き出したピックアップトラックの中で、我々後部座席の三人は歓声を上げたが、それはほんの一瞬で、すぐに沈黙が訪れた。

（こんなとこ、走っとったんか……）

明るくなって見ないほうがよかったものを見てしまった。悪路なのはわかっていたが、谷底の深さは昨日の比ではなかったのである。それを最も実感していたのはクリスであろう。昨日の転落なんてカワイイほうだったのである。ここで落ちたら、間違いなく全員あの世行きである。

走り出して三〇分もしないうちに、先を走っていた車が停まっていた。傾斜がきついのと悪路のために進めないのである。もはや溜息も出ない。焦ったところでどうしようもないことはもう充分にオノレの身体が知っている。もし、この車が最終目的地ジャボルサラジに辿り着けたなら、その時、私は完全に最終解脱を果たしているであろう。

麻原はチベットで最終解脱したと大ウソをコイていたが、私の場合は本当にアフガンのヒンズークシュ山中での解脱である。なにしろ、道中もずっと空中浮揚状態でピョンピョン浮いているのである。頭の中も思考能力をなくし、瞑想状態なのである。

ヒンズークシュ山脈の大自然のなかで、車のエンコなんぞ、とるに足らないことである。一日二日の遅れなんぞ、この大地ではどうってこたあない。大陸の空気はゆっくり動くのである。たとえどんなに時間がかかっても谷底に落ちないことが大事なのである。

タイヤがスタックする。傾斜がきつくなる。一〇分ごとに車は停まり、そのたびに運ちゃん以外全員が車から降りて歩く。荷が軽くなった車を、あるときは人間が押し、あるときはロープで引っ張り、そのうち車に乗っているより、歩いている時間のほうが長くなった。我々は引っ張り上げるために車をチャーターしたのであろうか。

故障は頻発した。パンクなんてカワユイほうで、エンジン、ミッションもまだマシなほうである。そのうちシャフトが壊れはじめた。東京を走っている車でシャフトがイカレたら、もうその車はオシャカである。五分、一〇分で元に戻る修理ではない。

黒煙を噴いて止まるトヨタ。右下は崖で、その底に清流。右に立つのはスペイン人のテレビクルー。

朝出発した四台のうちのどの車が停まっても、四台すべてが仲よく停まり、全員で修理に当たる。他の三台のために我々の車が付き合うこともあれば、我々の車のために他の三台が停まることもあった。そうしないと生き残れないことを、誰もが自覚していたのである。

峠をカマズが塞《ふさ》いでいる

四方は天を突く山、下は目も眩む谷、めったに来ない対向車とすれ違うときは一苦労である。なんともなくとも、運ちゃんは三〇分ごとに車を止める。岩間から沸き出る水をすくいラジエーターに注ぐ。ラジエーターの網目には細かい砂が入り込んでいる。それでもローギアでエンジンをぶんぶん回し、そんでもってスピードは一〇キロ未満である。オーバーヒートせんほうがおかしいのである。

高温のラジエーターが蓋《ふた》から溢れ出た冷水をかぶり、ジュワーと水蒸気が上がる。そしてまた発車、そしてまた停止。こんなことがあと三ヵ月ほど続きそうな錯覚に陥《おちい》る。どこかで似たような経験をしたのを思い出した。南極である。あそこでも白い大陸を来る日も来る日も地平線の果てまで雪上車を転がした。今の私とあのときの私とどっちがハッピーであろうか。どっちもアンハッピーだが、強いて言えば、まだ南極のほうが……。いや南極よりこっちのほうがマシだろうか。タリバンという外敵がいる分、こっちのほうが辛いが、生活環境はこっちのほうがマシのような気がしてきた。

また車が停まる。今回はしばらく動かなくなった。理由はすぐわかった。峠をカマズが塞《ふさ》いでいるのであった。カマズというのはロシア製の大型トラックである。六輪駆動という、とてつもないバカでかいトラックだが、そんなもんが、この山中をノロノロ走り回っているのである。物資を運ぶこともあれば、山のようなアフガン人がしがみついていることもある。

どんな車であろうとスピードは出せないが、カマズは自重が重いので、たいがいの悪路も踏み潰して進んでしまう。車高が高いので川の中まで進むこともある。積荷は生活物資から北部同盟の武器弾薬とさまざまである。

人間は荷台で吹き曝《さら》しだが、現地人は平気らしく、けっこう陽気である。荷台にも乗れない遊牧民やさらにビンボー人はロバに乗ったり、歩いたりしている。我々が一〇メートル登るのにヒーヒー言うような低酸素の高地で、我々が毛布にくるまって震えている寒気の中で、アフガンのガキはシャツ一枚で弟や妹をおんぶしたまんま、切り立った谷を裸足で走り回っている。生まれたときからそうなら、さして苦痛ではないのであろうか。

このあたりは人間の数より確実に牛や羊のほうが多い。ガキは当たり前のように家のお手伝い、すなわち牛追い、羊追いである。木の小枝を振り回し、一日中、追い掛け回している。

食い物をくれと近寄ってくるガキは、蹴り倒しても、張り倒しても向かってくる。丸一日、カマズの荷台にしがみついているくらい、屁みたいなもんなのである。

この地の厳しい自然に慣れているように、二〇年も続けていれば戦争にも慣れてしまったであろう。日本が平和ボケなら、アフガンは戦争ボケである。二十歳くらいのガキは生まれたときから戦争をやっている。平和な時なんぞ、一日もなかったのである。

カマズの墓場

六輪駆動のカマズは馬力もハンパではない。どんな傾斜でもノロノロと上っていくが、致命的な欠陥がある。重心が高いのである。道の傾斜は山側ではなく谷側についている。そんなところで重心の高いカマズがバランスを崩すと……、アホでもわかる。それでアフガンの谷底はカマズの墓場と化している。

そんなカマズが轍《わだち》を塞《ふさ》ぐともうダメである。いくらこっちの車の調子がよくても、カマズのエンコにブチ当たると、崖崩れで巨大な岩が行く手を塞いでいるのと同じである。カマズが自力で動いてくれるのを待つしかない。

後ろにつかえている我々なんか一切無視するように、巨大なカマズは何をするでもなく、のんびり動かない。よっこらせっとタイヤにかませる岩などを運んでくる始末である。オーバーでなく本当に日が暮れそうであった。

しかし……、たった一晩この山で過ごしただけで、私にも、いや他の皆にも、妙な覚悟ができていた。そのときはそのときなのである。そういうときのために私はわざわざ東京からテントを持ってきたのである。そのためにカップヌードルを二ダースも持ってきたのである。

ただし、このカップヌードルは「一切れのパン」（左巻きのセンセイが大好きな話なので教科書にも載っています。お母さんに聞きましょう）にするつもりであった。情報不足をこのカップヌードルで補うという最終目的もある。

したがって、そう簡単に手は付けられんのだが、私は我慢できても、一緒にいる原田カメラマンや有田記者はそうはいかんであろう。早くもカップヌードルの段ボール箱を見つめる彼らの目が異常になってきている。この山奥で私一人がズルズルやろうもんなら暴動が起こるであろう。

それに早くも、その虎の子の段ボールが昨日からの悪路のせいで崩れだしているのである。カップヌードルのまわりは重い機材をぶち込んだジェラルミンのケースばかりである。私はシワシワになりつつある段ボールに目を落としてイヤーな予感を覚えていた。

もとはと言えば、編集部に転がっていた一個一ドル少々のもんだが、海を渡ってこの砂漠に辿り着いたものはその何十倍もの価値があるハズである。

「おい、カップヌードルを集めて梱包しとかんかい！」

紀尾井町の編集部でゆうしゅうな編集者様にお願いしたとき、彼女はまるで意地悪姑にイビられるパープー嫁のような目をして梱包していたもんである。

ジャボルサラジに着くまで……、何とか半分は無事であってほしい。私は映画の名作『危険の報酬』を思い出した。

中南米のどこぞの国に流れ着いてきたゴロツキどもが、その国のドル箱の油田の大火災を、ニトログリセリンを爆発させることにより酸欠状態を作り、消火するという計画に協力する。油田はシャレにならないジャングルの奥地である。その何百キロの悪路を荷台にニトロを大量に積み込んで走る。少しでもショックを与えたら爆発するというニトロを、時間内に届けなければならんのであった。その報酬は出国、つまり自由とカネである。人間のクズであった彼らは、消火や人命のためなんていう崇高な動機からではなく、ただ自由とゼニを得るために、その危険な仕事を請け負ったのであった。

今、私の状況はまさにあの映画と同じである。荷台の積荷は悪路のショックに弱いハイテク機材と二ダースのカップヌードル。それを運ぼうとしている私は「人間のクズ！」と罵られてきたカメラマンである。

この道の先に果たして何があるのであろう。フリーカメラマンの私には幾ばくかのゼニが約束されている。ここで引き返せば（そんなことは不可能であるが）、もちろん、そのゼニはパーである。しかし、どう見てもゼニを得るために侵《おか》さなければならない危険のほうがはるかにデカい。この仕事は結局、ハイリスク・ローリターンなのではあるまいか。

リスクとリターンが釣り合っているのは運ちゃんどもである。北朝鮮と並ぶアジア最貧国アフガニスタンで、うまくいけば三日間で一〇〇〇ドルの報酬である。五〇〇〇ヵ月分の月収である。年収にしたら四一・六年分である。それを三日で稼げるなら、その何十倍もするトヨタとオノレの生命を危険に晒しても釣り合うであろう。

ヒンズークシュに響くノー天気な歓声

カマズに動く気配はなかった。我々は近くに涌き出ていた小川の水辺に集まった。こんなクソ山奥でも水を見ると安心するもんである。小川はとてつもなく澄み切っていた。コケすら生えていないようである。やっぱり手を切るように冷たい。昨夜の悪夢が蘇《よみがえ》ってきたのであろうか、クリスがボオーっと川面《かわも》を眺めている。

砂漠の国だとばかり思っていたアフガンに雪が降り、小さいながら川も流れている。もちろん、平野部にはこの国の人びとを充分に潤《うるお》すだけの雨量はない。冬の間、山岳地帯に降った雪が、この国の水分を補っているのである。

川があるのに釣りをしている人を一人も見ない。イスラムではブタは食ってはいかんハズだが、川魚もダメとは聞いたことがない。これだけの水質と水量があれば、シャケは無理でもアユやヤマメ、イワナくらいはいそうだが……。

アフガンは海がない国である。川に魚がいれば絶対に穫って食うであろう。とすれば、この川には魚がいないのであろうか。この国には廃液を垂れ流す近代的な工場はないから、あまりに高地で魚すら棲めないのであろうか。不思議である。

一人がズボンをたくし上げるとドボンと川に入った。

「ヒィー！」

羊が絞め殺されるような悲鳴が谷間にこだます。どうせ他にやることがないのである。次々とあとに続いた。私も膝上までズボンをたくし上げ、川に足を入れた。

冷たい……。気が遠くなるほど……。でもやっぱし気持ちよかった。誰かが石鹸を取り出した。おそらくドシャンベのホテルからガメてきたのであろう。白い石鹸はたちどころに黒く変化した。私の手にもポーンと回ってきたが、全然、泡立たない。すでに数ミリに及ぶ垢と埃が皮膚にこびりついていたのであろうか。

「誰かシャンプー持ってねぇか？」

どこからともなく声がかかったが、さすがにこの水温で頭を洗うとどうなるかわかったらしく、一人もやりそうになかった。誰かが缶詰を開けた。次の誰かがチーズを切り出した。そしてビスケットの箱が開けられた。しばらくノー天気な歓声がヒンズークシュの山間に響いた。

そんな歓声を無視して、人相の悪い運ちゃんは車両の整備に余念がない。カマズが動き出すのはまだまだ先のようである。

「宮嶋さん！　インマルすぐ出ます？」

有田記者が私に訊いた。

「へ?」

今回のアフガン報道で名をあげたのは、スマート爆弾でも、クラスター爆弾でもなく、間違いなくインマル電話である。むろんインマルは昔からある。しかし、個人が携帯できるようなものではなかった。

ところが、北欧のネラとかいうメーカーが作ったインマル・ミニは一人で持ち運べるのである。これさえあれば世界中のどこからでも、どこにでも、一発で電話をかけられるし、写真まで送れてしまう。価格も通話料もずっとリーズナブルになっていた。

ただし、一つだけ欠点がある。軍事衛星を経由しているので、通話がCIAなんかに筒抜けになるということである。今、このアフガンから南の衛星に向かって飛ぶすべての電波はCIAに傍受、解読、翻訳されていると見るべきなのであった。

もちろん原田カメラマンもインマルを持っている。写真を電送できる、ムチャクチャ通信速度の速い、三面アンテナを持つインマルである。なのに私にインマルを貸してくれないかと頼むのである。原田カメラマンのは重くて嵩張るため、荷台のかなり奥にしまいこんであり、簡単には引っ張り出せないのであった。

月まで行ったトランク

私とてバカではない。この悪路を想定して密閉性と堅牢性だけのために一〇万円以上するアメリカ製のゼロハリバートン（略してゼロハリまたはゼロ。ゼロ戦のことではない）のトランクにインマルを入れて持ち歩いている。

ゼロハリはアポロと一緒に月まで行って、月の石を腹の中に収めて地球に戻ったという、けったいな運命のカバンメーカーである。ギャング映画ではこのジェラルミン地剝《む》き出しのトランクに現ナマや武器を詰めて取引するシーンがたびたび出てくる。まあスーツケース界のメルセデス・ベンツみたいなもんである。

これに比べるとドイツの有名ブランド、リモバは値が落ちる分、ゼロハリより外壁も薄いし、密閉性もさほどない。なんでこんなことをグダグダ書くかというと、原田カメラマンが東京から機材を入れてきたおニューのリモバがすでに変形してしまったのである。たった二日間のドライブでドイツの有名ブランド・スーツケースがパーなのである。

このあたりがゼロハリとリモバの値段の違いであった。カンボジア、ボスニア、南極、世界の修羅場をともに歩き、ステッカーだらけだったゼロハリの表面は荷台で揺られるうちに砂埃でダイヤモンドのように磨かれていた。しかし、まったく変形していない。中はウレタンがびっしりである。中身がイカレている恐れは一〇〇パーセントなかった。そのための値段なのである。

共同通信の二人は荷台の奥から変形したリモバを引っ張り出す根性も気力もなかったが、荷台のいちばん上の私のゼロハリは片手で引っ張り出せた。

コンビネーションキーを開け、ロックを解除して蓋を持ち上げた瞬間、スーツケースにのっていた細かい埃が一筋の線となって煙のように落ちた。それまでゼロハリの内部には一粒の砂も入り込んでいなかった。三人はまるで身分不相応な取引に手を出したチンピラが、現ナマを詰めた身代金を見つめるような溜め息を漏らした。

世界地図を持っている女

有田記者は太陽の位置を見てネラの背を南に向けるとメイン・スイッチを入れた。まったく障害物がないため、インマルは一発で衛星と直結した。シュールな光景である。クソ山奥の小川のほとり、電話さえない国で、東洋人がウンコ座りして衛星電話をかけているのである。

相手は虎ノ門の共同通信本社でも、モスクワ支局でもない。モスクワにいる夫人、いや、二歳の長女であった。こんな地の果てまで来ても、娘のことは気になるらしい。

「もちもち〜、パパでちゅようぉ〜。おねむでしゅかあ?」

アフガンの山々にけったいな声が流れるのであった。どうせ通話料は私が払うわけではない。有田記者の甘い声は何万キロも電波に乗り、軍事衛星を通じてモスクワに届いた。

人が電話をかけているのを見ると、自分もかけたくなるのが人情である。有田記者が終わると、今度は原田カメラマンがかけだした。

彼には、ガキはいないが夫人がいる。しかし、ここまで来て、釣り上げた魚の世話をするつもりはないようで、かけたのは虎ノ門である。イケイケドンドンの宮仕えカメラマンでも、本社写真部への連絡は気になるらしい。

人が会社に電話しているのを聞くと、自分の会社にも連絡したくなるのが人情である。再び有田記者がモスクワの、今度は支局に電話を入れだした。アフガンの谷間に次々とインマルのアンテナが立ちだした。

はて? 私も……。借り物とはいえ、この電話を後生大事に運んできたのは私である。有田記者の長い連絡が終わると、私も受話器を取り上げた。そして……、困った。かける相手がおらん。編集部にかけたって、連絡することがない。「私は無事です」と知らせたって、今、東京は昼の十二時。グラビア班の皆様はおねむの時間である。

カミさんはいないが、女なら少しくらいいる。しかし……、わざわざヒンズークシュの谷間からかけるほどの相手でもない。そもそも私は女に教養なんぞハナから期待していないし、仕事を理解してもらいたいとも思わない。

女はオツムより見かけである。容姿よりテクニックである。清楚さよりケバさである。それが私の好みであるから「アフガンにおるどぉ〜」と言ったって、それが地球上のどこにあるのかさえ解らん女ばっかである。一人くらい世界地図を持っている女を用意しておくべきであった。

亡霊となったカメラマン

他の車に乗っていたボイテックが、川に落とした荷物の虫干しを始めた。クリスはとっくに諦め、手伝いもせずに自分たちが運んできたインマルを呆然と見ていた。

私もカメラを水没させたことがあるし、土砂降りの中、撮影を強行し、カメラが動かなくなったこともある。そういうとき、虫干しして完全に水分を飛ばすとごく稀に復活することもあった。

しかし、インマルはハイテク精密機器である。ただでさえショックや水に弱いうえ、現在は無数のマイクロチップが内臓されている。一度、完全に水没したインマルやコンピュータが再び生命を取り戻すことは万に一つもないであろう。

それでもボイテックは諦め切れないのである。ひょっとしたら……、いや、こんなところでは他にすることもないからであろう。

ボイテックのインマルはビデオフォンである。私が借りてきた音声だけを送れる小さなブツではない。アンテナもボディも、それに接続するパソコンも、カメラもスタビライザー（変圧器）も、みーんな水没なのである。これが全部、復活しないことには二人がここに生存する意味がないのである。

「レシーバー（受話器）ひとぉ～つ……、コネクション・コードひとぉ～つ……、モニターひとぉ～つ……」

番町皿屋敷の女中のようにボイテックはくらーい声で数える。もう、ほとんど亡霊である。同業者としてはとても直視に耐えない光景であった。居合わせた一同が葬式のような暗さに浸っているとき、対向車がやって来た。めったに車なんか来ないのに、こういうときに限って来るのである。ただの対向車ではない。砂煙とともに現われたのはカマズである。これで、この谷を通過できる時間がまた遠くなった。

「オーマイガッ!」

「ドウラク!」

「ジーザス!」

「どないなっとるんじゃあ! クソたれ!」

四ヵ国語くらいの罵《のの し》りの言葉が聞こえた。ところがどっこい! 対向車のカマズはエンコ中のカマズにハナ先を突き合わせるやいなや、やおらバックすると谷側にハンドルを切り、ズルズルと真っ逆さまに下り出した。

「うおおっ――!」

我々の驚嘆と関係なく、カマズはすさまじい砂利と砂埃を巻き上げ、やがてバッシャーンと谷間の清流に着水というか、突入した。そして、そのまま川の中を進み出すではないか。大きな岩を六輪で踏み越え、目を点にしている我々の前をバシャバシャと水を巻き上げ、対岸に勢いよく上陸した。車高が高く、車重が重いからできる芸当である。

しかし……、一歩、間違えたら谷底に落下、川の流れに飲み込まれて一巻の終わりである。もちろん、我々の中に誰も「アレの真似をしよう」と言い出す奴はいなかった。

かまわず川を渡っていくカマズ。川底は平らだが、川に降りるまでは急傾斜である。

野放しのサルより統制のとれた狂信者

次いで我々の後ろから、また巨大なカマズが現われた。もちろん行く手を塞ぐ我々のコンボイと、その前の再起不能のカマズにも気付いた。停車した後方のカマズの荷台からバラバラと人の塊《かたまり》が落ちてきた。よくぞまあ、これだけの人間が、と思うくらいの数である。全員が若い男である。若いというより、私から見ればガキである。

荷台から降りたニィちゃんたちの一部は川に水を汲みに降りたが、中には我々を観察し、その正体に気付く奴もいた。そして、それはすぐ全員に伝わった。

「オイ！　前にけったいな奴らがおるぞー！」「ほんまや、ほんまや。おもろいから見に行こ！」などということをダリ語で言っているのであろう。ドドドッと駆け寄ってきた。(な、な、なんや？)と思う間もなく握手攻めである。別にアフガンのコミュニケーションが握手から始まるのが悪いと言うつもりはないが、押し寄せてきたニィちゃんたちは武装しているのである。皆、汚い毛布をかぶり、ヒゲこそ生やしているが、完全なガキである。少なくともオツムの中は日本の三歳児程度であろう。

そいつらがヘラヘラ笑いながら、私の体を上から下までジィーッと見る。さらには荷物や体に触ってくる。それだけでは飽きたらず、タバコまでタカってくるのである。もう教

カマズの荷台の北部同盟兵士。銃を持った人間を怒らせてはいけない。アホなら、なおさらである。

養のカケラも見えない。アホ通訳も一緒になってヘラヘラ笑いだす始末である。

別にアホ通訳の力を借りるまでもなく、こいつらが近隣の村々から徴兵されてきた北部同盟の新兵たちだとわかった。岩の上で悟りを開いていたクリスなんぞ、動物園のサル状態で、皆から指を指され、笑われる始末である。日本の地方都市で外人観光客を見つけた幼稚園児が、皆で指を指しながら「変な顔」「変な髪の色」などとキャーキャー言うのと同じである。

たまらず車の中に避難したものの、今度はガラスに顔をひっつけてドアをドンドンと叩き出した。ガラスにひっつけて歪《ゆが》んだ顔がまだ笑っていた。

これが兵隊なのであろうか。タリバンがカブールを制圧する以前、北部同盟はカブールなどの大都市に下りてきて、それこそ文字どおり山ザル状態で略奪と強盗、強姦を繰り返したという。パシュトゥーン人は、このような北部同盟に怒ってタリバンを支持することになったのである。野放しのサルより統制のとれた狂信者のほうがマシという訳である。

私にもそれがようわかった。こいつらが都市に下りたら、今、我々にした以上のことをするであろう、何の疑問も抱かずに。欲しいものは盗めばいい。武器を見せれば誰もイヤな顔をせず、文句も言わない。だったら次は女をいただこう……、なんてことをやるであろう。

明るい車外から暗い車内は見えにくいので、皆ガラスに顔をペタッとくっつけてくる。タバコもタカりたいし、カメラやインマルでも遊びたいのであろう。

（こらあ！　とっとと、このサルどもを追い払え！）

クチパクでアブドルに伝えようとしたら、そのジェスチャーがサルどもには面白いらしく、腹を抱えて笑いだす始末である。こういうときのために雇っているのに、アホ通訳は山ザルと一緒に笑い声をあげている。

しかし、武器を持った相手に逆らってはいけない。それは紛争地の、いや世界の常識である。言葉の通じない相手にはなおさらである。相手がアホであったら、もう絶対服従するしかない。私は世界の至るところで嘲笑を浴びてきたので、これくらいの屈辱はどうってことはないのだが、このサルどもが何かの拍子にいきなり凶暴になるのは怖い。

早くオサラバしたいのだが……、車は動けないのであった。

サルにカラシニコフ

そのうち何か合図があったのか、山ザルどもはトラックの荷台に帰って行った。コイツらの上官という者がいたのなら、いったい何をやっとたんであろうか。それに私には合図が聞こえなかった。アフガン人の視力がすさまじいのは知っているが、耳にもバイオニック・ジェミー（比喩が古くてスミマセン）なみの聴力があるのではないだろうか。

山ザルを満載したカマズは、さっき我々の横を通り過ぎていったカマズの逆ルートで川の中を走り、エンコしたカマズをワープして、先の谷を駆け上って行った。

「タリバンをやっつけるどお！」

サルどもは我々の横を通り過ぎる際に気勢を上げた。そして同時にカラシニコフの銃声が谷間に響いた。空に向けてぶっ放したのである。タリバンが待ち伏せでもしていたら一発で見つかってしまうのに、本当にアホである。

こんな山ザルが強いわけがない、米軍の下請けもできないだろうと考えたアナタ……、アナタはあまりに歴史を知らない。かつて同じように考え、アフガンのムジャヒディンをナメまくった超大国の指導者がいた。ソ連のブレジネフである。

彼は最強の地上軍と近代兵器を湯水のように注《つ》ぎ込み、サルどもを制圧しようとした。しかし、一〇年間かかっても攻め切れなかった。それどころか、ソ連中から掻き集めた一万人の若者をこんな渓谷で戦死させ、何千両もの戦車、車両、戦闘機を残したまま、尻尾

景気付けなのか、やたらにぶっ放す。こんな無駄
弾を撃つとはアホである。サルである。

を巻いて逃げ返らざるを得なかったのである。

それに今は無駄弾《むだだま》を撃《う》つくらい武器弾薬がダブついている。ソ連が置いていったものに加え、ロシア、イラン、インドの三ヵ国がアフガンに正式に武器援助を公言している。どれもこれもとんでもない国だが、これらが内戦後の影響力のためか、武器を送り込んでいるのである。当面の目的は打倒タリバンだが、その目的を達成した後、武器を回収できるハズがない。「サルにカラシニコフ」という状態が今後、何十年も続くのである。

アフガンの不幸はその地理的な位置にある。高度な文明が発達しても、すぐに隣の大国からの干渉を受ける。

太古の昔からロクな産業も持たず、流通が発達してくるとトラック・マフィアが台頭し、その利権をめぐってグループ、部族間でのいざこざが絶えなかった。

トラック・マフィアが電化製品や食料を運んでいれば世話はないが、やっぱり砂漠と山しかない国である。手っ取り早くゼニになる武器と麻薬に手を出し、この国は武器だらけ、麻薬漬けになってしまった。携帯を手にした日本ザルにも腹が立つが、サルに麻薬、サルに武器とは難儀《なんぎ》なことである。

第6章　行くも地獄、戻るも地獄

——アンジュマン峠で最終解脱！

アホをシバいて遥かな空を
仰ぐ瞳に砂が飛ぶ
遠く祖国を離れ来て
しみじみ知った風呂の味
みんな来てみよ　アフガンへ

不肖

アラーの神が許しても

カマズの周囲が慌《あわただ》しくなった。やっとこさ修理が終わったのであろうか。もはや期待するのにも疲れてしまった。期待するから失望する。期待と失望を繰り返すことほど、精神を疲労させるものはない。この国ではいかなる期待も禁物なのである。

しかし、ようやく前に詰まっていたドでかい車体が動き出した。一日くらい待っていたような気がしたが、まだ昼までにはだいぶ時間がある。そろそろ行きますか……。我々のケツもすっかり重くなっていた。動いても、どうせすぐまた止まるのである。と思っていたら、止まる気配もなくドンドン先へ進みだした。

そして一時間ほど走った頃、今度は我々の車がウンともスンとも言わなくなった。ここまで皆を引っ張ってきたが、このトヨタも限界であろう。よくもまあ、ツルツルのタイヤで道なき道をやって来たもんである。ここまで来られたのが奇跡なのである。

ただでさえ怖い運ちゃんの顔はもっと怖くなっていた。無言のままトヨタの下に潜《もぐ》っていく。親方の車が止まったので、世話になった手下の車も止まった。今度こそヤバそうである。諦めが肝心である。

不肖、宮嶋、人間、もうアフガンに未練はない。この先、いいことが待っとるとも思えんし、もうギャラ分の働きはした。大新聞ですら、この国に入るのは大変なのある。そこに、フリーカメラマンがたった一人で入っただけでもエラいではないか。

ネエちゃんもおらんし、メシもマズい。早いとこ帰りたいのである、本心は。しかし、それすら叶わぬこともわかっていた。ここは山岳地帯だが、その実態は泥沼と言ったほうがいい。一度足を踏み入れると抜け出せないのである。

運ちゃんが何やこぶし大の鉄の塊《かたまり》を握って、車の下から這い出てきた。顔には悪戦苦闘の跡がはっきり、つまりただでさえ汚い顔が真っ黒になっていた。それより、運ちゃんの手に握り締められた鉄の塊を見て、私は失神しそうになった。シャフト・ジョイントなのである。

それは、このトヨタが完全に動けない状態であることを意味していた。運ちゃんは地べたにドッカと腰を降ろすと、黙々とジョイントをいじくり始めた。この山中で、どうやって直すというのか。シャフトの修理なんぞ、トヨタの工場ですら何日もかかるのである。

今度こそ、もうダメであろう。我々も別の移動手段を考えるときである。運賃はまるまる一〇〇〇ドルではないにしても、払わざるを得んであろう。しかし、別の車に乗せてもらうなんてことは期待できない。みんなキャパ一杯である。そのうえクリスというお荷物がいる——。

こんなことなら、空《カラ》の車をもう一台仕立てるんであった。それより、ファイザバードでアホ通訳の横に乗り込んできたクリーナーと称するド厚かましい青年、あれはひょっとして掃除屋ではなく、エンジニアではなかったのだろうか。今となっては確かめたくもないが——。

いずれにせよ、諦めるしかないのである。運ちゃんが座り込んでいる間、我々はまったく無力なのである。後ろから、同じようなカラのピックアップ・トラックが駆け付けるという奇跡を待つしかないのである。

これは、おそらく祟《たた》りである。このごろ流行《はやり》の「百人の村」ではないが、村の富の八割を一割足らずの人間が独占し、天然のエネルギーを消費しまくっている。その一割に我々日本人も入っているのである。朝シャン、水洗便所にレトルト・メシ、電子レンジ……。その浪費の祟りが、今、我々を見舞っているのである。

日本に帰ったら、ＪＡＦのニィちゃんにはチップを払うようにしよう。電話一本で一時間以内で駆けつけるＪＡＦはエライ！　それをスキー場に遊びに行く国賊どもがチェーンを履《は》けないなどという理由で呼び付けているのである。スキー禁止令を出せば、ＪＡＦのニィちゃんの半分はこのアフガンに送り込めるであろうに――。

今ごろ、日本ではアイドルの名前だけはよく知っているデスクが、ただでさえ大きな腹をますます膨らませているであろう。腰掛け入社の女子編集部員はシャワーのバルブを開きっ放しにしているであろう。ハリコミ一つできない新入社員が昼過ぎに出社して、真っ白なテーブルクロスの上で、ウェイトレスに給仕されてメシを食っているであろう。

みんな、アフガン情勢を伝えるニュースを見ながら、映画のような戦闘場面を心待ちにし、贅沢三昧のメシを食っているに違いないのである。

そのようなやりたい放題がいつまでも続けられると思っているのか！　今、祟りを受けているのはヒンズークシュの谷間にいる我々だが、ぜーったい、日本の皆さんにも天罰が下る！　アラーの神が許しても、私が許さーん！　東の空を仰いで独り罵《ののし》る不肖であった。

至近距離に「地雷を埋めた」

「宮嶋さ～ん、紙貸して～」

原田カメラマンが間の抜けた声で言う。まぁ、ボーッとしているよりはクソでもしておいたほうがよい。食うのも大切だが、出すのも同じように大切なのである。

水道のないアフガンに清潔な便所はない。あるのは土で壁を作ったボットン便所である。下が清流の場合は本物の水洗便所だが、ほとんどは小さな穴だけである。よほどコントロールがよくないと汚してしまう。というより、穴の縁はたいていクソだらけである。そして風通しの悪さから、この世のものとは思えん匂いがこもっている。臭い羊の肉を食っているためか、アフガン人のクソは異常に臭いのである。

自然と便所に行くのを避けたくなるが、やはり出るもんは出る。どうせなら気持ちよくと、我々はアフガン入り早々に野グソモードになっていた。スルドイ私は当然そうなるであろうと、行く前から予想していた。故《ゆえ》に東京でカメラバッグのハンドストラップにカメ印のトイレットペーパーを通していたのである。

カメ印のトイレットペーパーはロシア製のやつなどと違い、ケツ触りがいい。それに紙の密度が濃い。つまりギッシリ巻かれていて使用可能回数が多いのである。

なぜ、そこまで拘《こだわ》るかと言えば、やはり韓国・光州での体験である。あのときは全身の根性を振り絞ってクソまみれのズボンを履いたのであった(わからない読者は『不肖・宮嶋死んでもカメラを離しません』祥伝社黄金文庫を参照されたい)。不肖・宮嶋、いかに根性があっても、あのような経験は二度としたくない。故に、いつでも、どこでも、できるように紙の準備だけは怠《おこた》らない。人は学習する葦《あし》なのである。

原田カメラマンは私のトイレットペーパーをクルクルと手に巻き付け、キョロキョロと周囲を見回した。そして、すぐ脇のデカい岩の影に身を隠した。

「こっらあ！　もっと離れてやれ！　音が聞こえるし、臭《にお》うやないかあ！」

自分のは臭《くさ》くないが人のは臭い――これは世界共通の真実である。

「じらーい！」

そうであった。ここアフガンの大地は、ソ連との戦争以来、地雷だらけである。「道を外れたら、必ず足跡の上を歩け」は紛争地での常識なのである。ちなみにわが自衛隊で「地雷を埋めに行く」と言った場合、演習場での野グソを意味する。事後、わからないように土をかけることからきているのは言うまでもない。

地雷を埋めに行って、本物を踏んだのではシャレにならん。もっと悲惨なのは、地雷の上にクソを落としてしまうことであろう。対戦車地雷のようにスプリングの強いヤツなら問題ないが、対人地雷のようにショックに敏感なヤツに落とすと、クソまみれで死ぬことになる。死ねばよいが、大事なところを吹っ飛ばされ、ケツに破片を突き刺して生き残るなんて、考えただけでオトロシイ。

どうせ男しかいない。いやジョージ・クルーニーの愛人のアナがいるが、他人の女である。原田カメラマンは音も臭いも届く至近距離に「地雷を埋めた」のであった。

川の流れのように

運ちゃんが再び車の下に潜り込んだ。そしてまた時が流れた。無意味な時間だと思うからイライラする。大陸の空気はゆっくり動く。そう考えればいいのである。

車の下から這い出してきた運ちゃんの表情はまったく変わらない。やはりアカンのかと思ったら、工具を片付けて運転席に乗り込んだ。そして、キュルキュルとイグニッションが回る音がしたかと思うと、ブルンと勢いよくエンジンがかかった。エキゾーストから、これまた勢いよく黒煙を噴き出される。

しかし、いくらエンジンが快調でも駆動《くどう》系とエンジンは別である。運ちゃんがいじっていたのはシャフト・ジョイントである。ここがダメなら、エンジンはかかっても車は動かない。

運ちゃんが開けっ放しのドアの中から頷《うなず》くや、我々は夢遊病者のようにフラフラと車に戻った。ガキンとギアが入ると、トヨタはあっさり動いた。スゴい！　こんな山の中で教養のカケラもないようなおっさんがシャフトを直してしまった。恐るべきアフガン人である。それとも「トヨタ恐るべし」と言うべきか。さすが世界を席巻したメーカーである。

すさまじい揺れとの戦いが再開し、我々はまた無口になった。今度は揺れのうえに寒さも加わった。一メートル進むたびに気温が一度下がるみたいである。こんな体験をどこかで……、やっぱり南極であった。南極大陸沿岸部から内陸一〇〇〇キロの彼方まで雪上車を転がしたときも、進むたびに気温が下がったもんである。

窓の外の荒涼とした景色も同じであった。人を寄せ付けない氷の平原と、岩と砂だけの大地という違いはあっても。人家は見当たらなくなったが、不思議なことに歩いている人間がいる。羊を追う家族が通り過ぎるのである。この寒さの中、周囲何十キロも人家らしいものが見えない山岳地を、である。

コンボイは川を縫《ぬ》うように遡行《そこう》した。細々と流れる川だけが道標なのである。川の流れが心細くなるとともに外気温もどんどん下がってきた。相当な標高まで登ったことはアホでもわかる。気温は高度が一〇〇メートル上がると〇・六度下がる。一〇〇〇メートルで六度である。どう考えてもファイザバードより一〇度、いやそれ以上に寒い。すると二〇〇〇メートルくらい登ったということか。ファイザバードの標高が約二〇〇〇メートルだから、今、我々は標高四〇〇〇メートルくらいにいるのか。富士山の頂上より高いところを走っているとは——。

不幸な国の不幸な男

助手席でゴソゴソ体を動かしていたクリスが苦しそうである。そりゃあそうである。右側は運ちゃんにピッタリひっつき、ケツはサイドブレーキのレバーがゴッツ当たっている。足にはひっきりなしにギアチェンジするシフトノブが当たる。ケツと足は青痣《あおあざ》だらけであろう。

しかし、最悪は左側にもアホ通訳がピッタリひっついていることである。ファイザバードにおいてすら臭かった奴である。今はもっと臭い。そんな状態ですさまじく揺れているのである。

クリスが無口だったのは、我々にとってありがたかった。これがデイブ・スペクターみたいなアメリカ人だったら、たまったもんではない。苦し紛《まぎ》れにくだらんジョークを延々とまくしたてたに違いないのである。

リアシートの我々でさえ、もはや限界を超えていた。膝の上でカメラバッグが跳ねる。石抱きの拷問じゃあるまいし、たまらずにフロントシートのピローに引っ掛けたが、それでも上下に激しく揺れ、膝を打つのであった。車が停まれば楽になるが、それでは先に進めない。走れば揺れる。この日何十回目かのラジエーターへの水補給のとき、とうとうクリスが口を開いた。

「前は窮屈《きゆうくつ》なので……、荷台に移りたいんだが……」

「正気か（Are you crazy）？」

確かにアフガン人は毛布をかぶって荷台に乗っている。しかし、それはアフガン人だからである。この大地に生れ落ちて、この空気を吸って育った連中だからできる芸当なのである。

「ああ……、窮屈で足一つ動かせない。寒いのはそれよりマシだ」

「寒いったって……、埃もすごいぞ」

「ああ、親切には感謝している。ちょっと荷物の上にケツを乗せることになるが……」

無口な奴にしては多弁であった。それほど辛抱たまらんかったのであろう。

「昨夜だって、寝袋も毛布もなしだったが、風邪もひかなかった」

そういえば、昨夜、クリスが馬小屋の隣にアホ通訳と消えたところまでは見ていたが、それ以後、朝までどうしていたのか、気にも留めなかった。みんなオノレの身一つで精一杯だったのである。だからクリスは何の装備も持っていないのに、何一つ頼み事をしなかった。

しかし、なんちゅう不幸なポーランド人であろうか。しかも、今は相棒のボイテックがこの山のどこにいるのかさえもわからない——。

西にドイツ、東にロシアという大国に挟まれたポーランドは不幸の見本のような国である。双方から、攻め込まれられる時、引き揚げる時、往復ビンタで国を荒らされる。第二次大戦中なんぞ、ソ連とドイツの両方から攻め込まれ、一週間で食い物にされた。そして挙げ句の果てに国中のユダヤ人が強制収容所（アウシュビッツ、トレブリンカなど）に送られ、ガス室に放り込まれたのである。

戦後だって、つい十数年前までソ連の属国にされていた。ポーランドの民衆は秘密警察の影に怯《おび》え、言いたいことも言えず、やりたいこともできず、さりとて国を出ることさえできず、ろくな産業も持たず、ビンボーにヒーヒー喘《あえ》いでいたのである。

いくら自由になったからといって、一〇年くらいでポーランドが金持ちになったとも思えん。新聞社は、クリスとボイテックをアフガンに送り込むにあたり、ムチャクチャ、ビビッたであろう。そして大英断の末、破格の機材と経費を持たせたに違いない。今、二人はそのすべてをドブに捨ててしまったも同然なのである。

国家がしっかりしていなければ、国民は不幸になる。それは歴史の必然だが、国家の不幸の星が一国民にまで伝染《うつ》るもんであろうか。そうとしか思えんくらい不幸である。クリスとはドシャンベ以来の付合いである。その間、奴は何一つ悪いことをしなかったと思う。毎日、アフガン大使館前でタクシーの後部座席に寝転がり、読書をしながらリストの順番を待っていた。恐らく女も買っていないハズである。

にもかかわらず、クリスはさらに不幸になろうとしているのである。はっきり言って、私もかなり不幸な星の下に生まれた。大学まで出ていながら、やってきたことはホームレスか乞食同然。パリやローマ、ニューヨークといった世界の表舞台とは正反対の、地球の肛門みたいな所ばかり渡り歩く銀バエ人生である。しかし、今のクリスは……。

もはや冷戦時代ではない。帰国後、国家のゼニを浪費し、民族の恥を晒《さら》したなんて罪で、クリスが逮捕されることはあるまい。しかし、今、この地で車の荷台に身を晒すのはポーランドの刑務所に入るより辛い。それは確実である。

クリスはよっこらしょと荷台に乗り込んだ。車内でさえ、あの揺れである。荷台は恐らく、ロデオの馬の背状態であろう。クリスはオノレのケツと背の下に私のリュックを移動させ、ロープで固定した。そして、ポカンと荷台を見ていた我々三人に聞いた。

「いいか（May I?）」

「もちろん」

私は一言で答えたが、はっきり言って、これは助かる。クリスが荷台におれば、我々の荷物が崩れたり、落ちたりしたとき、すぐ気付いてくれるからである。この寒さと揺れでは、クリスが眠り込むこともないであろう。

不安は、荷物どころかクリスごと振るい落としてまうことである。谷底まで転げ落ちても、車内では誰も気付かないであろう。疲労凍死も充分ありうる。その場合も、我々は気付かんであろう。ここまできたら、もう何でもアリである。

運ちゃんは何事もなかったかのように運転席に乗り込んだ。そしてトヨタはクリスを跳ね上げながら再び出発したのであった。

とうとう川の上をトヨタは走り出した。窓を開けると、とてつもなく冷たい風が吹き込むのだが、運ちゃんの席は窓が閉まらなくなったらしく、前方から容赦なく寒風が突き刺さってくる。周囲の山々には白いものも見えはじめていた。

立ち塞がる巨大な壁

前方に鏡のような平面が見えてきた。湖である。とてつもなくデカそうである。この世のものとは思えん光景である。もちろん人の姿なんぞまったくない。とうとう川の源流まで遡《さかのぼ》ったのである。

トヨタは水しぶきを上げながら、川を駆け上がり続けた。クリスはまだ生きとるやろか？　荷台を振り返ると、黒い影がしっかり摑まっている。この寒風だけでも生きた心地がしないハズなのに、水しぶきまで浴びたら、これはホントにヤバイ。それでもアホ通訳と運ちゃんの間で肩身の狭い思いをするよりマシなのであろうか。

トヨタは湖面を走っていた。この湖はデカいが、全然深くないのである。水は澄み切っている。水中には健気《けなげ》に水草らしきものが生えているが、それ以外、緑は一切ない。この湖さえなければ、本当に月面である。それにしても浅いくせにデカい湖である。走れど走れど湖面が続く。

空が狭くなってきた。周囲の山々がさらに高くなってきたのである。日が傾きはじめると、あっという間に闇に包まれる。そういえばもう昼も過ぎたというのに、あの河原から何も口に入れていない。しかし、空腹感もない。

ようやく湖面が細くなってきた。この先は水さえなくなるのであろう。もはやゴアテックスの上着だけでは保《も》ちそうになかった。厳寒期用の装備はリュックに入っているが、そのお世話になる時が近いようである。それにしてもクリスはまだ生きているであろうか。

とうとう湖面が切れた。前面には巨大な壁が立ち塞がっている。てっぺんは完全に雲の中である。我々はただポカンと口を開けて巨大な壁を見上げた。

「まさか……、コレ、登って行くんかいな……」

「今度こそ死ぬかもしれん……」

壁にはクネクネと一本の線があった。そのクネクネ線の、雲に消え入りそうな部分に黒い点が動いている。望遠レンズで覗いてゾッとした。あのサルどものカマズである。

「あれがアンジュマン・パス（峠）なのら」

アホ通訳は空のスズメでも見るように絶壁を眺めて言う。これが、かの有名な……、最難関と言われるアンジュマン峠か……。あのサルどもは、それをいともあっさりと……。

「どうするのら？　今、昼の二時なのら」

「どうするって……？」

我々三人は顔を見合わせた。

「どうするって……、そりゃあ、行くしかないやろ……」

「わかったなのら。これからはアブナイのら。ここのホテルで泊まってもよいのら。明日の朝にここを出発したほうがアンゼンと思うのら」

「………」

そういう考えもあったか……。え？　ちょっと待て。こんなところのどこにホテルがある？　周囲を見渡すと、昨夜の馬小屋よりさらにみすぼらしい小屋が三軒ほどあり、屋根から煙が立ち昇っていた。

「おい！　まさか、あれがホテルか？」

「他に何があるのら？」

「あれはのお～、馬小屋と言うんじゃあ！」

私はアホ通訳のケツを蹴り上げた。ここまで来て期待した私もアホなのだが――。

戦車とロシア兵の墓場

恐る恐る小屋の扉を押すと、ギャーッというババアの悲鳴のような音がした。中は真っ暗である。炭のような匂いと人の体臭がモアッと鼻につく。どうやら薪ストーブらしきものが焚かれているらしく、かなりの暖気がこもっていた。

目が慣れてくると、何人かが蠢《うごめ》いているのがわかった。地べたに敷いた安っぽいビニール・シートの上に、むっさいヒゲ面が四つ。食事の最中らしく、ビニール・シートの上に楕円形のアフガンパン（ナン）とアルミの皿に粟か稗を煮たようなゲル状のものが並んでいる。ヒゲ面のおっさんたちは手をベトベトにして、それらを貪《むさほ》り食っていた。

アホ通訳が挨拶をかますと、次々に手を差し伸ばしてきた。拒否することはできん。我々はベトベトの四つの手を握り、自分の手もベトベトにした。

「一緒に食わんか？」

しきりに手招きでそう誘われるが、腹は減っていてもまったく食欲が湧かなかった。

「ふぅー」

外に出て溜息に近い深呼吸をすると、昼間だというのに強烈な寒風が顔を刺す。日が暮れたらこんなもんでは済まんハズである。

少し遅れてスペイン・チームとイタリア・チームがやってきた。結局、この峠の入口まで辿り着いたのは三台だけであった。ファイザバードを出るときは七、八台はあったコンボイがとうとう三台である。

「峠を越えるのにどれくらいかかる？」

「ツーオクロックなのら～」

二時間ということだろうが、このアホの言うことがまったくアテにならないのは充分わかっていた。今二時、峠を越えて四時。うまくいけばの話である。うまくいかずに途中で日が暮れたら悲惨である。いや、悲惨で済めばまだいい。モロ生死にかかわる。アンジュマン・パス——地図に示された標高は四八〇〇メートル。十月の四八〇〇メートルである。そこで車が動かなくなったら……、オトロシイ。

この時期、富士山ですら山頂には雪が降り、真冬の気候である。アンジュマン峠はそれより一〇〇〇メートルも高いのである。不肖、二三歳のみぎり、富士山に登った。五合目から頂上まで、健康な男子なら六時間という行程に八時間もかかった。前夜が締め切りで徹夜明けのまま臨み、九合目あたりですさまじい頭痛と吐き気に襲われた。

南極では四〇〇〇メートルのドームふじ基地で過ごしたが、あのときは沿岸部から二週間もかけて、高地順応しながら登ったものである。

標高四八〇〇メートルなんて、アルピニストと山岳カメラマンの世界である。報道カメラマンの守備範囲を超えている。頂上付近は雲の上で、さっぱり見えない。暗雲立ち込めるというのは、このような心境なのであろうか。

スペイン・チームもイタリア・チームも行くべきか否かを検討しているようであった。そしてスペイン・チームの一人の声が耳に届いた。

「行こう」

私と目を合わせた運ちゃんが不機嫌そうな顔のまま頷いた。行けるっちゅうのか？せめてこのおっさんが笑うてくれたら……。こいつは我々の救世主となるのか、それとも地獄の水先案内人となるのか。クリスも車内に潜り込んできた。さすがに、この外気温ではたまらんのであろう。

「ええい！　行け！」

トヨタは切り立った絶壁に進撃を始めた。傾斜は遠目で見たほど急ではなかったものの、すさまじい蛇行を繰り返しているため、距離は走るが、なかなか高度が稼げない。ロングアンドワインディングロードである。戦車のキャタピラが赤サビだらけになって転がっていた。

歩けなくなったら置いていく

眼下にはさっき通ってきた湖が広がっていた。あそこから一〇〇〇メートルは登ったのではないだろうか。足下《あしもと》は傾斜がすさまじい。道は岩壁を這《は》うように折り返しを重ね、緩《ゆる》やかに登っているのだが、道の左右が谷側に傾斜しているのである。これまでの谷がかわいく見えるような傾斜と高さである。いったい何台の車がここから転げ落ち、何人の人間が命を落としたのであろう。

「ここで降りるのら」

「ここって？　ここでか？」

「そうなのら。ここから上はアブナイのれ、歩いて登るのら」

「…………」

確かに、車だとバランスを崩したらそれまでである。二本の足で立って進むぶんには転げ落ちることもあるまい。

「車は上で待つのら」

「…………」

信じるしかないのである。従うしかないのである。こんな教養のカケラもない二人の言いなりになるしかないのであった。車外に出た瞬間、アフガン入りして九五回目の後悔をした。やはり来るべきではなかった。外は完全な真冬である。我々の吐く真っ白な息を吹き荒れる風が瞬時にさらっていく。

あちこちの岩が白いもんに被《おお》われている。砂漠の国で雪を見るなんて、紀尾井町の住人の何人が想像しうるであろう。いちばん薄着のクリスが体を小刻みに震わせはじめた。昨夜も川に落ちて、思いっきり震えたばかりである。

我々を降ろしたトヨタはたちまち見えなくなった。もはやオノレの二本の足でこの山を登るしかなくなってしまった。一〇歩で息が上がる。酸欠である。それでも先に進むしかない……。

アカン、頭痛がしてきた。疲れているうえに急激に運動したので体中が酸欠なのである。原田カメラマンの顔色が悪い。相当苦しそうである。寒い。そして頭が割れそうに痛い。後をついて来ているはずの車も見えない。

間もなく日が落ちる。太陽が見えなくなったら、気温は劇的に下がる。闇と寒さと飢えと頭痛に苛《さいな》まれ、恐怖の一夜を過ごすことになるのである。頭上のジグザグ道を、見えるかぎり目で辿っても、トヨタはいない。ということは、今、見ている道をぜーんぶオノレの足で登って行かねばならんのか――。

車でも大丈夫だったんではないやろか？　我々を降ろしたとはいえ、トヨタはスンナリ登って行ったのである。こんなにヒーヒー言うくらいやったら、ちょっとくらい危なくたって、乗っとったほうがマシや。

クリスもそのことに気付いてブツブツ独り言をコキだした。

「これは何かの間違いだ。あのロクでなしめ。許せん」

吐き気がしてきた。頭も割れるように痛い。それでもオノレの足で、この傾斜を登らなければならないのである。原田カメラマンの顔が真っ青になってきた。

私は航空自衛隊のF－15戦闘機に乗るために、立山基地で航空生理訓練というのを受けたことがある。訓練用システムで、高高度を飛ぶ戦闘機のコックピットと同じ状態を体験するのである。あのとき教官が言った言葉を思い出した。

――海抜〇メートルからいきなり五〇〇〇メートルの低酸素状態に陥《おちい》ったら、脳の酸欠のため意識混濁を起こし、死に至る場合もある。八〇〇〇メートル、つまりエベレスト級だと、どんなに鍛えられた人間でも三〇分以内で死に至る――。

あのとき、急速減圧室内（人工的に作られた高度五〇〇〇メートルの低酸素状態）において、教官の号令で酸素マスクを外すと、爪の色がみるみる不気味に変わっていった。そして、一〇〇〇から一ずつ引いていった数を順に書けという、ナメた問題をさせられたのだが、あとでオノレの解答を見て絶句したもんである。まともに書けていたのは九九七まで、次が九七〇になっておった。

この山は五〇〇〇メートル弱である。今、私が立っているのは間違いなく四〇〇〇メートル以上である。それでなくとも二日酔いでかなり死亡している私の脳細胞は、ここでまた致命的なダメージを受けるのであろうか。オトロシイことである。

標高一〇〇〇メートル弱のドシャンベで一〇日間、アフガン入りして二〇〇〇～四〇〇〇メートルで三日、私の身体も少しは高度順応していよう。しかし、そもそも我々日本人は海洋民族なのである。先祖代々、海抜〇メートルで暮らしやすいようなDNAを受け継いでいるのである。

「ワシらが今、こんなにヒーヒー言うとんのは、すべて運ちゃんのせいや！　だいたい、あのツラがイカンのじゃ！」

「許せん！　あのボケ！　これは嫌がらせや。人間が普通に歩ける道は、車も走れるハズや！」

「あいつ、東京湾に沈めてやる！」

もう、意識混濁であった。言わば心神喪失状態で、すべての罪は免責されるみたいな状態なのであった。そして、ついに罵りの言葉さえ出なくなった。原田カメラマンが遅れだした。ここで歩けなくなったら、気の毒だが置いていく。

我は海の子

寒い。体を動かしたい。歩き続けたい。しかし、動かしたくとも息が続かん。頭が痛い。やっと、やっと黒いもんが見えてきた。トヨタのルーフ部分が岩の間から覗いて見えた。しかし、近くに見えても山の道は遠い。二度三度と折り返す。一直線で急勾配を駆け登れば、たいした距離でもないハズである。しかし、それができない。

トヨタのそばで、あの憎き運ちゃんがウンコ座りしてジィーッと我々を見下ろしていた。まるで我々が死体になるのを待っているハゲタカのようである。なんちゅう奴であろう。絞め殺すのは勘弁してやっても、ケツくらいは蹴り上げんと納《おさ》まりつかん。

クリスの足が速くなった。寒くて辛抱たまらんのであろう。あと三〇メートルくらいで……という時、運ちゃんが立ち上がるのを私は見た。そしてスッと消えた。寒くて運転席に潜り込んだのであろうと思った私の耳にエンジンを始動させる音が届き、次の瞬間、我々のトヨタは砂埃を上げて上方に消えてしまった。

クリスが呆然と立ち尽くしていた。クリスだけではない。このような展開を誰が予想したであろうか。みんな、あそこまでだと思って頑張っていたのである。それをあの悪党運ちゃんは……。これはイジメであろう。裏切りであろう。虐待であろう。

原田カメラマンがヘタリこんでしまった。しかし、それでもオノレの足で前へ進むしかないのであった。歩けなくなったら置いていくのである、気の毒だが。

ヒーヒーのたうちまわっている我々を尻目に、アホ通訳だけは元気一杯であった。何の悩みもないかのようにピョンピョン跳ね回っていたのだが……？　あれ、どこいったんやと思ったら、いちばん後ろの原田カメラマンの側にいた。まるで鼻歌でも歌っていそうな爽やかな顔で。

私は立ち止まり、アホが登ってくるのを待ち伏せした。スキップするように登ってきたアホは肩で息をしている私に気付いて、いかにもアホな質問をした。

「ど、どうしたのら〜?」

まったく理不尽《りふじん》である。持って生まれたDNAが違うだけで、相手の苦痛がまったく理解できないのである。

「あのなあ……。俺らは四〇年、海のそばで育ってきたんや！　ワレ、海、見たことないやろ?　泳げんやろ！　俺らはこんな山の上じゃ、息ができんのじゃあ！　とっとと先へ行って、運ちゃんにその場で待つように言わんかい！」

アホ通訳は青田赤道のようにピューッと駆け出していき、やがて見えなくなった。雲は遥か下である。雪は深くなりつつある。急がんとイカン。それはわかっているが、やっぱり息が切れる。頭がシャレにならんほど痛い。やっぱり、この時間に、こんな山に挑《いど》んだのが失敗であった。しかし、後悔してももはや遅い。

あのアホ通訳が……、いや、アホは一応、麓の湖の脇で泊まることをリコメンドしていた。スペイン・チームにケツを押されたのである。

私には、こういう重大な場面で第三者の判断に身を委《ゆだ》ねてしまう悪いクセがある。あのとき、スペイン人の一言が耳に入らなければ――。

そのスペイン人の姿も車も見えない。諦めて下山したのであろうか。もしかしたら、今この山で生きているのは我々だけなのではないだろうか。早く、早く休みたい。道の折れ曲がったところで、アホ通訳がしゃがみこんでいた。アホ一人が、である。

「お、お、お……（ドモッているのではない。息が切れている）、おまえ、こんなところで、何しとんどぉ？　く、く、車？　車は？　運ちゃんはどこや？」

「やっぱり、アブないから歩いて登ってこいと言っているのら～」

「コッRRRA－！　それを待っとくように言うて来いと言うとんのやROGAAA！」

我を忘れてアホ通訳の首を締め上げていた。我々の苦痛をわずかでも理解させようという親心であったが、危うくコロすところであった。アホは再びピューッと駆け登っていった。

アカン……、意識が遠くなりそうである。それを頭痛と吐き気がかろうじて押し止めている。悔しい、どうしていつも私だけがこんな目に……。今ごろ東京の編集部では、生まれてから一度も水の心配もしたこともないゆうしゅうな皆様が、長寿庵のソバをすすり、テレビも電気もつけっ放しでバカ笑いしていることであろう。

「アホがおれへんから静かでエエわい。このまま帰ってきいへんかったらエエのお……」

そんなことを言いながら、頭の中を今夜の合コンに着ていく服のことで一杯にされているであろう。世界のどこかに、今の私の境遇を心配してくれている女が、もし、いるのなら、結婚してもいい……。

いやイカン！　心配なんて、してるかしてへんか、証拠がないではないか。「心配してたのよぉ〜」などと言う女に限って、帰国のフライト機内で買ったお土産に「またスカーフなのぉ〜？」とブーたれるのである。

乗るも地獄、降りるも地獄

天が近付いたせいであろうか、星が見え始めた。私のオツムの中は九九六の次が九五〇だと錯覚するくらいのノーミソになっていた。F－15機上ではグレーアウトが起こった。機体にかかるGで血液が脳にいかなくなって起こる幻覚みたいなもんである。この星も幻覚であろうか。遥か先に黒いトヨタが見えた。

（イカン！　あれに乗らなイカンのや……）

（歩くんや。右足！　次、左足！）

帰りもこんなことをせなイカンのやろか。ここでは、これから腰まで埋まるドカ雪が降るというやないか、十月に。そんなもんが降ってきたら……、私はどうやって帰国するんや？

文明への帰還は本当にカブールが陥《お》ちるまで待たなければならない。ジャボルサラジから六〇キロ下ってカブールである。そして東へ。ジャララバードを通ってパキスタンに抜け、カイバル峠を越えればペシャワールである。そこまで辿り着けば勝ったも同然である。

パール・コンチネンタル・ホテルのプールで泳ぎながら、ルームサービスでこっそりウオッカを呷《あお》る。たまらんのう——。

しかし、それはいったい、いつのことや。もしカブールが陥ちなければ、来年の春の雪解けを待つしか手立てがなくなるのであろうか。いや、そんな先のことはどうでもいい、今はあのトヨタに辿り着かねばならんのである。

今度は運ちゃんは動かなかった。トヨタもちゃんと停まっていた。いったいどれだけ歩き続けたのであろう。もう運ちゃんにくってかかる気力すら残っていない。私は無言でトヨタの後部座席に潜り込んだ。もう動けん。まるでフルマラソンを走ったかのような息切れがする。

やがて運ちゃんもクリスもアホも、そして共同通信の二人も乗り込んできた。原田カメラマンは、残り少なかったノーミソの大半をやられてしまったかのような虚《うつ》ろな目をしている。私は渾身の力を振り絞って、助手席の背を蹴り上げた。

「おい！　ワシは二度と車から降りひんからな！」

クリスも共同通信の二人もうんうんと頷いた。運ちゃんも後ろを振り返って頷いた。こんな思いをするくらいなら、この車と運命をともにしたほうがマシである。

車はまた登りだした。いったいいつまで登り続けるのであろうか。車内にいてもすさまじい寒さである。視界が悪いので、運ちゃんが運転席の窓を開けっ放しにしているのである。もちろん誰も「閉めろ」とは言わない。歩いているときはなんとも思わなかったが、車に乗ると、やはりすさまじい傾斜である。後輪がズルズルと谷側に流れるのがはっきりわかる。乗るも地獄、降りるも地獄なのであった。

一〇〇メートルも走らないうちにトヨタはピタッと止まった。理由はすぐわかった。こんなところで、こんなときに、とんでもない障害物が目の前にあった。あのサルどものカマズである。こんなに人に迷惑をかけまくるサルどもが北部同盟なのである。この国がいつまでたって統一されないハズである。

などと思っていたら、サルどもがバラバラと荷台から飛び降りた。そして我々のトヨタには目もくれず、カマズのケツを押し始めた。巨大なタイヤが岩と石を捉え、車体が動き出す。次の瞬間、私は目を点にした。走り出したカマズは止まらず、サルどもはそれを追って走り始めたのである。ここは四〇〇〇メートル超、立っているだけでヒーヒー言う世界なのである。それを、あのサルどもは走っているのである。

やっぱりあいつらは人間ではない。あの近代兵器で武装したソ連軍の手に負えなかったハズである。サルどもとカマズはやがて黒い点になり、再び雲の中に消えた。

千尋の谷をボロボロのトヨタで

雲を突き抜けて視界が広がったとき、我々はアンジュマン峠の頂上にいた。ここが標高四八〇〇メートルの世界である。不肖・宮嶋、四〇年間の半生で、オノレの足で立った最高地である。遠く望む切り立った峰々にわずかに色の違う線が続いている。

あんなところを渡って行くんかいな……、まるで刃渡りである。両側は切り立った千尋の谷、右にも左にも、バランスを崩したら、それで何千メートルも転げ落ちる。そこを抜けたら、上りよりもっと怖い下りが待っている。もうほとんど太陽が見えなくなった。

「行け！」

トヨタは一気に剣の刃渡りを始めた。なるべく窓の外を見ないようにしたが、見えるもんはしゃあない。トヨタのバランスが左右に移動するたびに、私、クリス、共同通信二名の雑巾を切り裂くような悲鳴が車内に満ち、運転席の窓を通って谷間にこだました。

「危ない！　うわあ！　やめてくれ！」

左に大きく傾斜すると同時に五人の人間の重心が左に移動する。後輪がズルズルと左へ流れ出す。それをもとに戻そうと前輪が激しく右に土砂を噛む。それでもバランスの崩れのほうが大きい。トヨタは大きく左に傾きはじめる。今まさに転覆するかというとき、前輪が平地を噛む。この繰り返しである。

このときの傾斜と車両データをトヨタに教えてやれば大喜びであろう。恐らくメーカー発表の最大傾斜限界を遥かに超えた傾斜の連続である。しかも五〇〇〇メートル近い高地で、である。さすが世界のトヨタである。ラダ（ロシア製）ならとっくに、全員、谷底で死んでいる。

かつて宮崎県警が三菱パジェロで逃げる猟銃殺人犯を追い掛け回し、河岸の一角に追い込んだことがあった。三面を警察車両で塞ぎ、包囲は完璧に思えた。もう一面は傾斜のきつい河の堤防だったからである。もちろん、県警は三菱自動車からパジェロの性能リストを手に入れ、パジェロが堤防の傾斜を登れないと判断したうえでのことであった。ところが、パジェロはあっさり堤防を登り切り、再び逃走を始めてしまった。警棒を振り回し、追いすがってくる警官を尻目に。そのニュース映像を見て、三菱自動車は大喜びであったろう。下手なCMより、よっぽどパジェロの性能を宣伝してくれたからである。

トヨタはこの戦争が終わったら、アンジュマン峠にCM撮影隊を派遣すべきである。もちろん、この人相の悪い運ちゃんを探し出さねばならないが——。

稜線の轍《わだち》に徐々に下り勾配が増え、やがて完全な下りになった。頂上は越えたのである。しかし、峠越えが終わるのはまだまだ先である。日がとっぷり暮れて、ボロボロのトヨタは闇に包まれた。ヘッドライトが片目しかつかないため、運ちゃんは窓から顔を出して運転している。相変わらず岩と傾斜の連続、延々と続く下りである。心もちスピードも上がったような気がする。

「寒いから閉めてくれんか?」

あまりの寒さに辛抱しきれず、運ちゃんに頼んでみた。人間も動物の一種である以上、やはり闇は怖い。しかし、その闇が谷底を消し、恐怖感を軽減していたのである。

運ちゃんは窓から出したままの首を横に振った。わずかに呼吸が楽になったようである。あの頂上から一〇〇〇メートルは下ったであろうか。

「おい！　ホテルはまだか？　次の村へはいつ着くんや？」

「この峠を下りたところにホテルはすぐあるのら！　大きなホテルらから、みんな充分泊まれるのら〜」

「大きなホテルのう……」

もちろん期待はしていない。が、昨夜の馬小屋よりはマシであろう。今日このアホの口から出たのはホテルではなく「大きなホテル」なのである。いかにアホとはいえ「大きな」の意味くらいはわかっておろう。

それにしても疲れた。あの人間を死に至らしめかねない低酸素トライアスロン、そして転落死の恐怖、心身ともにクタクタである。しかも今日一日、あの河原での素晴らしいブランチ以外、何も口にしていない。何か食わねば――と思ったとき、車のスピードがガクンと落ちた。片目のヘッドライトがかすかに映し出していたのは黒い影……。

「ま……、まさか？　ま、ま、また、あの？」

サルどものカマズであった。巨体のくせにどうにもならんノロノロである。もう、我々の邪魔をしているとしか思えんスピードである。我々はカマズのケツを見ながら、トロトロトロと進んでいった。この速度ではいつ峠を下りられるのかわかったもんではない。

やはり、この大地では自分の思いどおりになるほうがおかしい。計画を立てるなんてことはムリ!なのである。

サルどもに「ホテル」を奪われた

「峠を下りたのら……。もうすぐ大きなホテルがあるのら」

アホの声で意識が戻った。ウツラウツラしているうちに峠を下り切ったらしい。とりあえず、このルートの最難関は突破したのである。目の前にはまだカマズがいた。コイツは夢であってほしかったが、とりあえず、まあヨシとしよう。この山を生きて下りられたのである。時計の針はそろそろ二十一時になろうとしていた。

「あっ! 大きなホテルが見えたのら」

なんや暗ろうてよう見えんが、ちょいとした田舎の公民館くらいはありそうな……。明かりは漏れていないが、部屋の中にさえ入れれば、寝袋の中で充分暖かく眠れる。

そうや! 腹も減ったし、こういうときのためのカップ・ヌードルやないか。今カップ・ヌードルに手をつけずに、いったいいつ食うんや！　コンロもあるし、水もまだ大量に残っている。あれだけのスペースがあれば、室内でコンロを焚ける。一〇分以内で湯は沸騰するであろう。ああ、しょうゆ味にしようか、シーフード味にしようかいな――。カレー味というのも捨てがたいのぉ。クリスに食わしたら、どんな顔するやろ。

そうや！　コイツ、機材はアカンけど、ゼニは持っとる。原価っちゅうわけにはいかんのぉ。私なら一〇ドルでも食う。二〇ドルでも、たぶん食う。三〇ドルか？　むずかしいところである。あの出版界のシャイロックN編集長なら一〇〇ドルで売り付けるであろう。そうすると、二ダースで三〇万近いやんけ！　楽しみなことである。

と思っていたら、暗闇の中の林の切れ目に見える「大きなホテル」に我々の車より先に入ろうとしている大きな影があった。

「まさか？　おい！　おい！」

カマズがヘッドライトもつけず、当たり前だがウィンカーもつけず、そのスペースにノウノウと、いけシャーシャーと、いともあっさりと、入ってしまったのである。

「あっ、さっきの兵隊が先に入ってしまったのら！」

「おい！　まさか、あのアホザルどもと同じ屋根の下で寝るんとちゃうやろのぉ？」

「アホ！　びっくりさせやがって。あのアホどもは先を急ぐから、休憩するつもりやろ。どっちにしろ、早いとこ、出ていってもらわんとゆっくりメシも食えんわい」

「違うのら」

「違うと思うのら。もう遅いので、兵隊たちはあそこに泊まるのら」

「ほな、ワシらはどこに泊まるんや？」

「あそこのホテルは大きくても、兵隊たちが泊まってしまうと、もう部屋はないのら」

「ほんなら、ワシらはどないなると聞いとんのやろがあ！」

「次の村のホテルで泊まるのら」

「…………」

　確かにサルどもと同じ屋根の下で寝るよりはそのほうがマシであろうが……、とことん、本当にとことん、我々の足を引っ張ってくださる兵隊さんたちである。これで人民に好かれようというのはムリである。連中は戦争をしているということで、働かなくてもいいハズである。道中の飲み食いも「我々は人民を守るムジャヒディンだ」などとコイて、ことごとく踏み倒してきたのであろう。あのホテルというか山小屋の料金も踏み倒すに違いない。まぁ、あの山小屋に料金を取れるような部屋があれば、であるが――。

「それで、次の村にはいつ着くんや？」

「二時間くらいなのら」

「ホテルはあるんか？」

「あると思うのら」

諦めたほうがよさそうである。さて、どないする？　このアホにサルどもを追い出すよううけしかけてもムダであろう。いやこれ以上、あのサルどものケツを見上げながら走るのもゴメンである。となると、やっぱり先の村の宿を探すしかないか。

しかし……、昨夜のこともある。これ以上無理して夜の悪路を走りたくない。我々はドヨヨ～ンと暗くなった。これやったら、やっぱりアンジュマンの手前で、あの馬小屋に泊まったほうが安全であった。

死して屍《しかばね》拾う者なし

真っ暗な夜道で、我々は三八度目の途方に暮れた。見上げれば満天の星である。まさに手を伸ばせば届きそうなところに星が見える。

「はて？　有田はんたち！　どないします？」

相談したって、もはや手は一つしかないのはわかっていたが、私は腰からマグライトを抜き、有田記者のほうに向けた。しかし、そこにいたハズの有田記者の姿はなかった。

「はれ?」

なんや、懐かしい匂いも漂ってきた。マグライトをちょろっと下げると、浮かび上がったのは、しゃがんでいる有田記者であった。暗闇に白いケツが浮かび上がった。

「あ、あ、有田はん! そんな、そんな近くで何を……」

「だって、新月で何も見えないじゃん。それに離れて道に迷ってもヤだし。地雷も……」

さすがに共同通信である。有田記者は少しも怯《ひる》まず、冷静に答えるのであった。

「そりゃあ、そうやけど……」

何も車のすぐ横、我々に匂いが届くところでやらんでもええのに……。

「ライトいります?」

「ううん、大丈夫」

私はライトのスイッチを消した。せめて、せめてクソぐらい一人でゆっくりさせてあげたい。何故《なにゆえ》にアラーの神はかくも残酷なのであろうか。共同通信モスクワ支局の記者といえば、バリバリのインテリ、もろホワイトカラーである。それが人前で、見えないとはいえ、臭いも音も届く距離でクソを垂れている。

似たような光景を思い出した。あれは私がこの世に生まれてきたことを後悔した南極大陸、みずほ基地での出来事であった。やっとの思いで我々第三十八次隊員が辿り着いたとき、その目の前で、越冬を終えつつある第三十七次隊の米山ドクターがケツを出したかと思ったら、たちまちブリブリと始めたのである。確かに恥ずかしがる場所でも状況でもない。しかし、まだシャバッ気が残っていた我々は、白い地獄で一年を過ごすと、このような人間になってしまうのかと絶句したものである。

しかし、有田記者はアフガンに入ってまだ三日である。まともな神経が三日と保たなかったのであろうか。それとも、この人は人間離れした順応力を備《そな》えているのであろうか。

人の心配をしとる場合ではない。今晩、どないするかである。車を止めて、車内で寝るなんてオプションだけはゴメンである。いくら北部同盟の支配地域だといったって、タリバンのバリバリのゲリラが猫を被って、どこぞに身を潜めとるかもしれんのである。

いや、タリバンはまだ宗教でテンパッてる分、筋が通っているが、あのサルどものような兵隊崩《くず》れの山賊はもっと怖い。寝込みを襲われたら、カネやカメラだけやない。間違いなく命も取られる。となれば……。有田記者が車に乗り込んで来て、これからの道は決まった。というより、次の村まで走るしか道はないのである。

しかし許せんのは、前でボーッとしているアホ通訳とあのサルどもである。これでまた睡眠時間が減るのである。サルどもに宿を横取りされたことに対する責任なんぞ、このアホは微塵《みじん》も感じていないであろう。

そもそも、ファイザバードでこのアホと知り合ってからロクなことがない。次の村にマトモな宿がある可能性はゼロである。このアホは我々の逼迫《ひっぱく》した状況をからっきし理解しとらんのである。このルートのことだって、さっぱり知らんのである。

英語で一から一〇までは数えられんでも、地元のガイドくらいできるだろうと考えた私がアホだったのである。もはやコイツはトヨタの重りでしかない。今度チョンボしたら、谷に蹴り落とし、このアホの体重分だけトヨタを軽量化すべきであろう。

我々は再び人気《ひとけ》のない岩だらけの山を走り続けた。昨日とまったく同じである。本当にジャボルサラジに着くのであろうか？　着いたらタリバンのアジトで身ぐるみ剝《は》がれ、死体は川に捨てられるのとちゃうんかいな――。

こんな苦労を重ねて、いったいギャラはなんぼや？　モデル撮影のスタジオにだけは必ず顔を出されるデスクが、私のこの苦労に理解を示してくれるとは到底思えん。男はオノレを知る男のためにこそ死ねる。しかし私がこの大地で谷底に転げ落ちても、またはタリバンに誘拐されても、デスクは東京から動かんであろう。私の骨は誰一人拾う者なく、アフガンの砂になるのである。

ジャボルサラジに着いたら、すぐ帰ろう。フリーカメラマンがアフガン入りしただけでスゴいのである。雇い主の週刊文春はニューズ・ウィークやタイムではないのである。もう充分である。しかし……、今は帰ろうにも帰れん。ボクの後ろに道はないのであった。

働かざる者、寝るべからず

「村に着いたのら……」

アホの声が虚しく聞こえる。もはや質問をする根性も残っていなかった。

「ホテルはあるのら」

暗黒だった世界にランプの明かりが銀座のネオンのように輝いていた。そのひとつひとつに人が住み、家庭が営《いとな》まれている。ほとんど緑のない、岩と石と砂ばかりの過酷な環境でも、人びとはなんとか生きようとしているのである。

電気の明かりより温かそうに見えるのはランプのためか、それとも暖炉の火だからか。

明かりがトヨタの窓の外を虚しく飛び去っていく。あと一〇〇メートルも走れば、再び暗黒の闇というとき、アホ通訳が口を開いた。

「やっぱりホテルはなかったのら」

もう失望すらしない。そういう結論になることは初めからわかっていたのである。

「止めろ！」

助手席に戻っていたクリスがポツリと呟いた。

「いいから止めろ！」

アホ通訳はキョトンとしていたが、クリスの変貌ぶりを察知した運ちゃんは、すぐにブレーキペダルに足を乗せた。

「オレたちで探そう」

そうであった！　目から鱗《うろこ》とはこういうことである。ダリ語やパシュトゥーン語がわからんという理由で、アホに頼っているから、このような目に遭《あ》うのである。私はスワヒリ語しか通じないアフリカの大地を単独で突っ走ったこともある。ボスニア紛争中は自らハンドルを握ってサラエボまで行った。窮《きゅう》すれば通ず。この村を過ぎてしまえば、少なくともあと数時間、この暗闇の中、剣が峰の上を走り続けることになるのである。

さっさと車を降りたクリスは、明かりの漏れている、最も近くの土の家へと走りだした。そして、立て付けの悪いドア、というより穴に被《かぶ》さっていた板を勢いよく叩いた。

「uty￥x@:g9dkvbsa:p!」

何語かわからんが、大声で叫ぶ。おそらく母国語（ポーランド語）であろう。慌てて駆けつけた私や原田カメラマンの目の前で、板はあっさり開き、室内から昼間の太陽のようなランプの明かりが漏れてきた。現われたのは小さなシルエット。明らかにガキである。表情は読みとれないものの、カタマッている。

そりゃあそうである。この国には、朝、昼、夜の三つの時間しかない。東京では宵《よい》の口でも、ここでは草木も眠る丑三《うしみ》つ時であろう。そんな時間にいきなり戸を叩かれ、わけのわからん言葉を喚《わめ》かれ、顔を出したら白人と東洋人が立っていたのである。

ガキはビューッと奥に戻り、代わってでっかいおっさんが顔を見せた。こういうとき、アフガンでは絶対に女は顔を出さない。年頃を越えた女が顔を見せていいのは家族だけである。なんちゅうても、不倫がバレたら公開死刑という世界なのである。

タリバンの下ではイスラム教以外のいかなる宗教も信仰してはいけない。バレたら死刑まである。オウムなんぞ、まとめてこの国に放り込めば、イスラムに改宗するか、死刑になるかの二者択一である。創価学会の池田大作はんだって、この国で折伏《しやっぷく》なんぞ始めたらスタジアムで公開絞首刑であろう。

北部同盟の支配下でも女はブルカを被っている。これはイスラムの教えではあるが、慣習みたいなもんである。なかにはブルカを脱ぎたいという進歩的なアフガンの辻元清美みたいな女もいるらしいが、そういうのにはみんな眉を顰《ひそ》めている。

これは外国人がとやかく言う問題ではない。アフガンに「もっと女を自由にしたれ！」と言うのは、日本の捕鯨を「鯨がかわいそうだからダメ」などとぬかす欧米の自然保護主義者と似ているかもしれない。

銃弾で鼻をブッ飛ばされた

ヌッと現われたおっさんを見て、今度は我々がカタマッた。柄《がら》がデカイのは見慣れているが、マトモな顔ではないのである。鼻が異様に白いというか、何か白いものを塗っているみたいな、けったいな鼻なのである。しかもご丁寧に、その下には立派なヒゲまで蓄《たくわ》えている。

クリスもその顔にビビッて一瞬、絶句したが、どうせ言葉は通じない。幼稚園児のようなジェスチャーが始まった。両手の掌を合わせ、それを耳の横まで持ってきて、そのあとランプの輝く室内を指差す。白鼻のおっさんはドアの前で佇《たたず》むドロドロの外国人四人を、爪先から頭のてっぺんまで舐めるように見た。そして無表情に招き入れた。突然の出来事にビビりまくっているガキを尻目に、我々は玄関の横のドアから室内に通された。

玄関は土のままだったが、室内にはしっかりビニールのゴザが敷かれていた。しかも暖かい。風も砂埃もない。昨夜の馬小屋に比べたらホリデーインのスウィートみたいなもんである。

「ファイブマン、OK?」

通じているとはとても思えんが、クリスが片手を広げた。アホ通訳と運ちゃんを加えると六人だが、運ちゃんは車と荷物を守るために車内で寝るのである。

「ワンナイト、早朝、出て行く」

今度は指一本を突き立てた。

「ウンウン!」

不気味な顔のおっさんが頷く。

「ハウマッチ?」

クリスがズボンのポケットから財布を取り出しながら聞いた。

「ウウン！」

今度は首を横に振った。

「やったあ！」

四人は小躍りした。タダになったからではない。夜露と寒気を凌《しの》げるからである。

「どうしたのら〜？」

車内でボーッとしていたアホ通訳が顔を突き出してきた。

「ワレ、今まで何をしとったんどお！　ワレなんぞおらんでも、ワシらで宿を確保したわえ！」

話がまとまったのを知って急に元気が出たらしく、アホは自慢そうに今までの経緯を白鼻のおっさんに説明しだした。そうと決まれば気が変わらんうちにと……、我々はドドッと車まで戻って寝袋や毛布を引き摺り下ろし、室内に運び込んだ。

「広い！　五、六人なら余裕で寝返りを打って寝られる！」

「湯を沸かせば、カップ・ヌードルも食える！」

「そうや！　こういうときのために運んで来たんや」

「オレ、ノーマル！」

「オレ、シーフード！」

三人の日本人は喜々として、一人一個ずつ私のダンボール箱からカップ・ヌードルを取り出した。ジャボルサラジに着いたら貨幣に変わるブツだが、背に腹は変えられぬ。今晩は日本人三人と最大の功労者クリスを入れて四人で、ゆっくりお湯を沸かし、カップ・ヌードルを最後の一滴まで堪能して、寝袋のチャックを開けてゆっくり眠ろう。

白鼻のおっさんが、けったいなヤカンと洗面器みたいなものを持って来た。

「こうやるのら」

アホが見本を見せてくれた。白鼻のおっさんがヤカンで水を注いでくれ、その下で両手を揉んで洗う。洗った水は洗面器に落ちる。手を洗えるだけでムチャクチャありがたい。しかも水だとばっかり思っていたら、温かい。お湯なのである。

「うおおおお〜！」

皆、ネェちゃんに一発抜かれるときのような気色悪い声を上げていた。それくらい気持ちエエのである。みるみるドロが、油が、垢が流されていくのであった。

白鼻のおっさんがアフガンパン（ナン）を持ってきた。これぞアフガンのホスピタリティである。旅人が困っていたら損得抜きで歓待する。昔は日本だって、こうであったのだが――。私はアフガンの習慣を一つだけ好きになった。

と、そのとき、再び木のドアがギィーと開いた。顔を覗かせたのは、なんとジョージ・クルーニーであった。一瞬にして私はイヤーな予感に襲われた。

「さあ、さあ！　アナも来るのら～。ここはボクが見つけてきたのら！」

外からアホのうれしそうな声が聞こえて来る。

「ま、ま、まさか……？」

今度はジョージ・クルーニーと一緒にアナとアホの顔が並んだ。

「OOOOH～！」

ジョージ・クルーニーとアナは我々と同じ歓声を上げたかと思うと、バタッと消えた。

そしてあっという間に、その他のクルーも合わせて五人、ついでにアホまで土足でドヤドヤ入ってきたのであった。その間、我々は同意すら求められなかった。我々は中国の武装警官に押し込まれた日本総領事の心境もかくやであった。スペイン・チームに言わせれば、アホの同意を得たからということであろう。

「おんどREEE～～！　ワREEのノーミソ、ウジが湧《わ》いとんのか！　かち割って覗いたろかあああ！」

私はアホを外に連れ出した。

「ワレはいったい、誰に雇われとんのじゃあ！」

「だんな、なのら…」

「それやったら、ワシらの利益だけのために働いたらんかい！」

「わかっているのら」

「それやったら、なんであのスペイン人を連れてきたんじゃあ！」

「だってタダなのら」

「あの部屋に一〇人も入ったら、寝返りが打てんようになるやろがあ！　交渉してタダにしたんはクリスやろがあ！　何がオノレが見つけてきたじゃあ！　ワレ、あのスペイン人からゼニもろとんちゃうやろのお！」

「ノープロブレムなのら」

「それを判断するのはワシらじゃあ！」

アホ通訳を締め上げている間に、ジョンらは室内に腰を落ち着けて一息ついていた。

「よお！　ミヤヒマ！　気分はどうだい？」

ジョンはやっと我々にも気付く余裕ができたらしい。

「まあ……、昨夜よりずっとマシってところか……」

「おいおい、そうだろう。昨夜はどこに寝たんだっけ？」

「馬小屋の土の上だ。馬糞にまみれてな」

「車の中に比べたら、ここは天国だぜ」

そうであろう。ワシらもアンタらが来るまでは天国やった。我々は喉《のど》から出るほど楽しみにしていたカップ・ヌードルを鞄に戻した。こんなところで一個でも食おうもんなら、この貴重なカップ・ヌードルを、ジョンたちにも人道支援しなければならなくなるからである。

トホホホ……。

白鼻のおっさんがランタンまで持ってきてくれた。明るくなった室内で、アメリカ人ほどとは言わないが、ラテンのノリでスペイン人たちは一気に騒がしくなった。

「ヘイ！　ミヤヒマ！　ちょっと教えてくんないか？」

「何を？」

「ここのマスターの鼻は、いったいどうしちまったんだい？」

「さあ？　ジョン、あんたが尋ねてくれるんとちゃうんか？」

「プルプルプルプル。冗談じゃあない！」

きっと、ここの主人は内戦中、横からの銃弾で鼻をブッ飛ばされたのであろう。義眼、義足というのは見たことがあるが、これは義鼻というものではなかろうか。どっちにしろ、今晩、夢に出てくるのは間違いなさそうである。騒がしかったのはほんの束《つか》の間。寝袋に潜り込んだ私は、次の瞬間、深い眠りへと落ちていった。

以下、下巻に続きます。
いよいよ砲弾飛び交う最前線での活躍?
ご期待ください。

編集人

一〇〇字書評

切り取り線

購買動機（新聞、雑誌名を記入するか、あるいは○をつけてください）

- □（　　　　　　　　　　　　）の広告を見て
- □（　　　　　　　　　　　　）の書評を見て
- □ 知人のすすめで
- □ タイトルに惹かれて
- □ カバーがよかったから
- □ 内容が面白そうだから
- □ 好きな作家だから
- □ 好きな分野の本だから

●最近、最も感銘を受けた作品名をお書きください

●あなたのお好きな作家名をお書きください

●その他、ご要望がありましたらお書きください

住所	〒				
氏名		職業		年齢	
新刊情報等のパソコンメール配信を 希望する・しない	Eメール	※携帯には配信できません			

あなたにお願い

この本の感想を、編集部までお寄せいただけたらありがたく存じます。今後の企画の参考にさせていただきます。Eメールでも結構です。

いただいた「一〇〇字書評」は、新聞・雑誌等に紹介させていただくことがあります。その場合はお礼として特製図書カードを差し上げます。

前ページの原稿用紙に書評をお書きの上、切り取り、左記までお送り下さい。宛先の住所は不要です。

なお、ご記入いただいたお名前、ご住所等は、書評紹介の事前了解、謝礼のお届けのためだけに利用し、そのほかの目的のために利用することはありません。またそのデータを六カ月を超えて保管することもありませんので、ご安心ください。

〒一〇一・八七〇一
祥伝社黄金文庫　書評係
☎〇三（三二六五）二〇八〇
ohgon@shodensha.co.jp

祥伝社黄金文庫

祥伝社黄金文庫　創刊のことば

「小さくとも輝く知性」――祥伝社黄金文庫はいつの時代にあっても、きらりと光る個性を主張していきます。

真に人間的な価値とは何か、を求めるノン・ブックシリーズの子どもとしてスタートした祥伝社文庫ノンフィクションは、創刊15年を機に、祥伝社黄金文庫として新たな出発をいたします。「豊かで深い知恵と勇気」「大いなる人生の楽しみ」を追求するのが新シリーズの目的です。小さい身なりでも堂々と前進していきます。

黄金文庫をご愛読いただき、ご意見ご希望を編集部までお寄せくださいますよう、お願いいたします。

平成12年(2000年)2月1日　　祥伝社黄金文庫　編集部

儂《わし》は舞《ま》い降《お》りた　アフガン従軍記《じゅうぐんき》（上）

平成17年9月5日　初版第1刷発行

著者　宮《みや》嶋《じま》茂《しげ》樹《き》
発行者　深澤健一
発行所　祥《しょう》伝《でん》社《しゃ》
東京都千代田区神田神保町3-6-5
九段尚学ビル　〒101-8701
☎03（3265）2081（販売部）
☎03（3265）1084（編集部）
☎03（3265）3622（業務部）
印刷所　萩原印刷
製本所　積信堂

造本には十分注意しておりますが、万一、落丁、乱丁などの不良品がありましたら、「業務部」あてにお送り下さい。送料小社負担にてお取り替えいたします。

ISBN4-396-31386-1　C0195

祥伝社のホームページ・http://www.shodensha.co.jp/

祥伝社黄金文庫

宮嶋茂樹
不肖・宮嶋
死んでもカメラを離しません
生涯、報道カメラマンでありたい！ 不肖・宮嶋、スクープの裏の恥多き出来事を記す。大いに笑ってくれ！

宮嶋茂樹
不肖・宮嶋
空爆されたらサヨウナラ
爆笑問題不精太田光氏絶句！「こんなもん書かれたら漫才師の出る幕はない」…世に戦争のタネは尽きまじ。

宮嶋茂樹
不肖・宮嶋
撮ってくるぞと喧《やかま》しく！
取材はこうしてやるもんじゃ！ 張り込み、潜入、強行突破…不肖・宮嶋、ここまで喋って大丈夫か？

ビートたけし
女につける薬
いつまでつけあがるのか、お手軽女！ わかってるのか男の本音！ ヤセたい願望、脳味噌のダイエットも。

ビートたけし
女は死ななきゃ治らない
「二十二歳はオバサン」時代の到来！ 整形美人の言い訳！ ヘアヌードの正しい鑑賞法！ オイラの遺書公開！

ビートたけし
それでも女が好き
怖いもの知らずの平成女にオイラが言わずに誰が言う！ もう誰にも止められない、天才たけしの女性論！